esfera

entra en una nova dimensió

20 ANYS

edicions
bromera

Aquesta edició ha sigut traduïda amb una ajuda de la Conselleria de Cultura, Educació i Esport de la Generalitat Valenciana.

FOTOCOPIAR LLIBRES
NO ÉS LEGAL

Títol original: *The firework-maker's daughter*
1a edició publicada per Random House Children's Books
© *Philip Pullman, 1995*
Traducció: *Josep Franco Martínez, 2006*
© *Edicions Bromera,*
   Polígon Industrial I
   46600 Alzira
   www.bromera.com
© De les il·lustracions: Nick Harris,1995
Coberta: *Bauxi*
Disseny col·lecció: *Enric Solbes*
Impressió: *Romanyà-Valls*

PAPER ECOLÒGIC
TCF LLIURE DE CLOR

1a edició: *juny, 2006*
ISBN: *84-9824-017-4*
DL: *B-28808-2006*

LiLA i EL SECRET DELS FOCS

DELS FOCS

Philip Pullman

Traducció de Josep Franco

bromera

Aquesta història és per a
Jessica, Gordon i Sally Rose

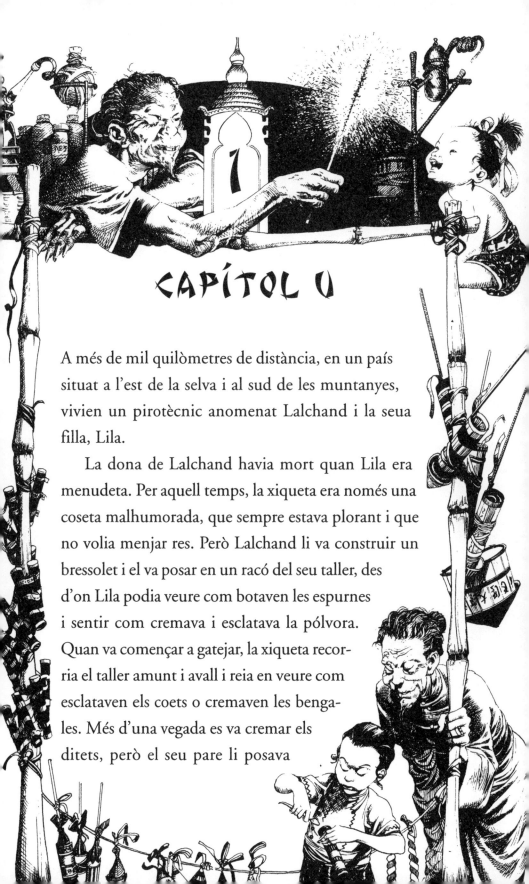

CAPÍTOL U

A més de mil quilòmetres de distància, en un país situat a l'est de la selva i al sud de les muntanyes, vivien un pirotècnic anomenat Lalchand i la seua filla, Lila.

La dona de Lalchand havia mort quan Lila era menudeta. Per aquell temps, la xiqueta era només una coseta malhumorada, que sempre estava plorant i que no volia menjar res. Però Lalchand li va construir un bressolet i el va posar en un racó del seu taller, des d'on Lila podia veure com botaven les espurnes i sentir com cremava i esclatava la pólvora. Quan va començar a gatejar, la xiqueta recorria el taller amunt i avall i reia en veure com esclataven els coets o cremaven les benga-les. Més d'una vegada es va cremar els ditets, però el seu pare li posava

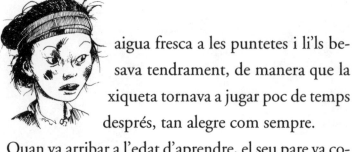 aigua fresca a les puntetes i li'ls besava tendrament, de manera que la xiqueta tornava a jugar poc de temps després, tan alegre com sempre.

Quan va arribar a l'edat d'aprendre, el seu pare va començar a explicar-li l'art de fabricar focs d'artifici. Així, Lila va aprendre a fabricar, primer, uns coets menuts que es deien dracs i que anaven en tires de sis. Després, va aprendre a fabricar mones saltarines, esternuts daurats i, finalment, els focs de Java. I poc de temps després, la xiqueta ja sabia fabricar tots els focs d'artifici senzills i va començar a inventar-ne de més difícils.

—Pare —va preguntar un dia—, què passaria si canviara el cotó que posem en els focs de Java per unes flors de sal?

—Prova-ho i ho sabrem —li va respondre el seu pare.

Lila va fer els canvis que havia imaginat i, en efecte, els focs de Java ja no cremaven amb una llum verda i constant, sinó que escampaven al vent milers d'espurnetes de colors vius que giraven en l'aire abans de desaparéixer.

—Són divertits, Lila —li va dir el seu pare—. Quin nom els posaràs?

—Què et sembla dimoniets? —va proposar.

—Molt bé. Fes-ne una dotzena i els dispararem en el castell per a celebrar l'any nou.

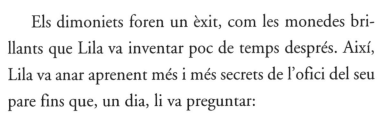

Els dimoniets foren un èxit, com les monedes bri-
llants que Lila va inventar poc de temps després. Així,
Lila va anar aprenent més i més secrets de l'ofici del seu
pare fins que, un dia, li va preguntar:

—Creus que ara ja sóc una bona pirotècnica?

—No, no —li va respondre el seu pare—, de cap de
les maneres. Ni tan sols has començat encara a ser-ho.
Quins són els ingredients de la pólvora ràpida?

—No ho sé.

—On podríem trobar grans de tro?

—Mai no havia sentit parlar dels grans de tro...

—Quina quantitat d'oli d'escorpí cal posar en una
font de Krakatau?

—Una culleradeta de café?

—Com? Volaries la ciutat sencera... Encara has
d'aprendre moltes coses. Vols realment aprendre l'art
de la pirotècnia, Lila?

—Naturalment! No vull una altra cosa...

—Ja ho temia, ja... Però la culpa és meua; no sé per
què no ho vaig fer: t'hauria d'haver dut a viure amb la
meua germana Jembavati, que t'hauria ensenyat l'art de
la dansa. El taller d'un pirotècnic no és un lloc adequat
per a una senyoreta. Mira quines pintes tens: els cabells
despentinats, els dits cremats per la pólvora, les ungles
tacades pels productes químics, les celles socarrimades...

9

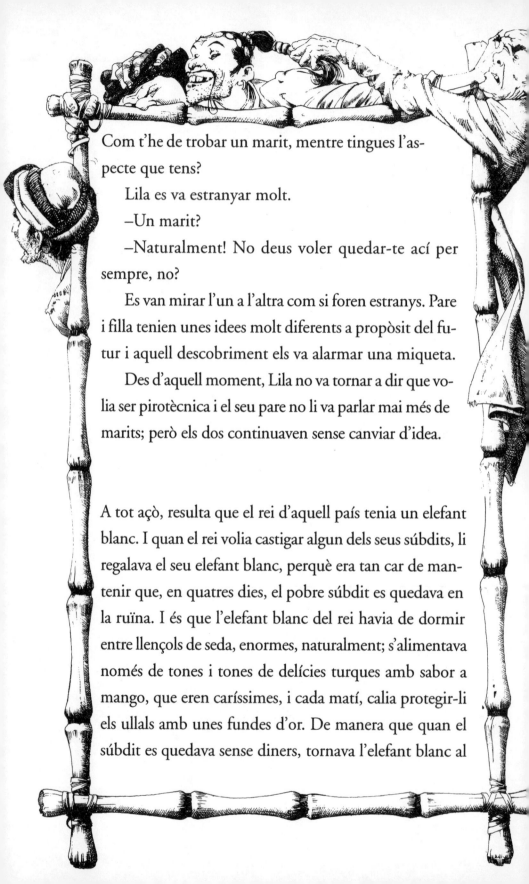

Com t'he de trobar un marit, mentre tingues l'aspecte que tens?

Lila es va estranyar molt.

–Un marit?

–Naturalment! No deus voler quedar-te ací per sempre, no?

Es van mirar l'un a l'altra com si foren estranys. Pare i filla tenien unes idees molt diferents a propòsit del futur i aquell descobriment els va alarmar una miqueta.

Des d'aquell moment, Lila no va tornar a dir que volia ser pirotècnica i el seu pare no li va parlar mai més de marits; però els dos continuaven sense canviar d'idea.

A tot açò, resulta que el rei d'aquell país tenia un elefant blanc. I quan el rei volia castigar algun dels seus súbdits, li regalava el seu elefant blanc, perquè era tan car de mantenir que, en quatres dies, el pobre súbdit es quedava en la ruïna. I és que l'elefant blanc del rei havia de dormir entre llençols de seda, enormes, naturalment; s'alimentava només de tones i tones de delícies turques amb sabor a mango, que eren caríssimes, i cada matí, calia protegir-li els ullals amb unes fundes d'or. De manera que quan el súbdit es quedava sense diners, tornava l'elefant blanc al

rei, que el conservava fins que
decidia regalar-lo a una altra víctima.

I allà on anava l'elefant blanc, l'acom-
panyava el seu criat personal. Era un xic,
anomenat Chulak, que tenia la mateixa edat
que Lila; de fet, eren amics.

Cada vesprada, Chulak treia l'elefant blanc a
fer els seus exercicis perquè l'animal no volia anar amb
ningú més, per una raó de pes: Chulak era l'única per-
sona, a més de Lila, que sabia que l'elefant parlava.

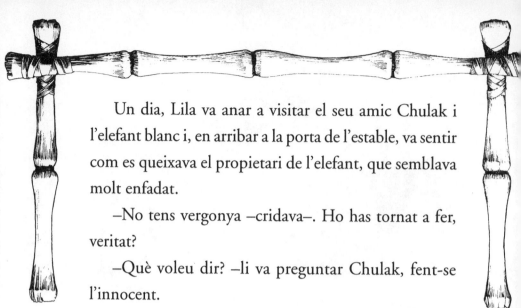

Un dia, Lila va anar a visitar el seu amic Chulak i l'elefant blanc i, en arribar a la porta de l'estable, va sentir com es queixava el propietari de l'elefant, que semblava molt enfadat.

—No tens vergonya —cridava—. Ho has tornat a fer, veritat?

—Què voleu dir? —li va preguntar Chulak, fent-se l'innocent.

—Mira! —va dir el propietari de l'elefant, mentre assenyalava amb un dit acusador el llom i els costats blancs de l'animal.

Als costats i al llom de l'elefant, hi havia unes quantes frases, escrites amb carbó o pintades:

MENGE A LA LLANTERNA DAURADA
ELS MAGNÍFICS DE BANGKOK
A LA FINAL DE LA COPA
L'ESTRELLA DE L'ÍNDIA,
ESPECIALITATS HINDÚS

I, a la part més alta del llom de l'animal, en lletres ben grans, hi havia escrit:

CHANG ESTÀ ENAMORAT
DE FLOR DE LOTUS

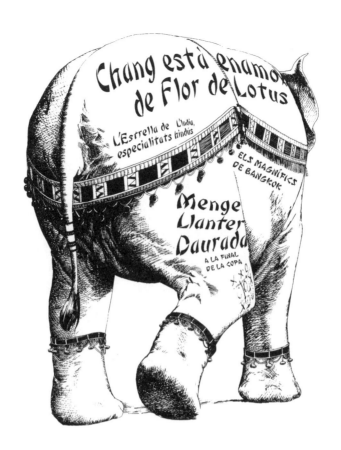

—Aquest pobre elefant torna cada dia a casa ple de publicitat —es queixava encara el propietari de l'animal—. No pots impedir-ho de cap forma?

—No puc comprendre com és possible, senyor —deia Chulak—. Però ja sabeu que el trànsit per dins la ciutat està impossible i, per evitar els tricicles, he d'anar amb vint ulls; no puc vigilar també els que tracten de pintar l'elefant... Deuen actuar de pressa: pinten i se'n van...

—Però això de «Chang està enamorat de Flor de Lotus», només ho han pogut pintar amb una escala i els deu haver costat, com a mínim, deu minuts!

—Sí, per a mi també és un misteri, senyor. Voleu que el netege?

—Però del tot! D'ací a un parell de dies m'ha de fer un treballet i vull l'animal ben net.

I el propietari de l'elefant se'n va anar, tot enfadat, i va deixar sols Chulak i Lila amb l'elefant.

—Hola, Hamlet –li va dir Lila.

—Hola, Lila –va sospirar l'elefant–. Mira en què m'ha convertit aquest mocós descarat: sóc un anunci ambulant, una pissarra amb potes!

—Prou de protestar –va dir Chulak–. Mira, ja tenim divuit rupies i deu annes que m'han donat els de l'Estrella de l'Índia i Chang m'ha donat una altra rupia per deixar-lo declarar el seu amor... Cada dia estem més a prop, Hamlet!

—Més a prop de la vergonya –va dir Hamlet, movent el seu cap enorme.

—Vols dir que cobres a la gent per deixar que escriguen sobre Hamlet? –va preguntar Lila.

—Ja ho crec! –va respondre Chulak–. Escriure el teu nom sobre la pell d'un elefant blanc dóna molta sort. Quan estalviem prou diners, escaparem. El problema és que, ara, s'ha enamorat d'una elefant femella del zoològic. L'hauries de veure quan passem a prop d'ella, es torna tan roig de vergonya que pareix una tona de gelat de maduixa...

—Li diuen Frangipani —va dir Hamlet, avergonyit—. Però ni tan sols s'ha dignat mai a mirar-me. I ara m'espera un altre treball, un altre pobre home arruïnat. Oh, odie les delícies turques! Deteste els llençols de seda! I em posen malalt les fundes d'or per als ullals... Com m'agradaria ser un elefant normal!

—No em vingues ara amb històries —li va dir Chulak—. Tenim plans, Hamlet, no te'n recordes? Estic ensenyant-lo a cantar, Lila. El presentarem amb el nom artístic de Luciano Elefanti i ens menjarem el món.

—Però, per què estàs trista, Lila? —va preguntar Hamlet, mentre Chulak començava a rentar-li el llom.

—El meu pare no vol ensenyar-me els secrets de la pirotècnia —va dir Lila—. He aprés totes les coses que necessite saber sobre la pólvora ràpida i els grans de tro, l'oli d'escorpí, les espurnes voladores, el suc brillant i les sals d'ombra, però encara hi ha alguna cosa que desconec i el meu pare no me la vol explicar.

—Lamentable —va dir Chulak—. Vols que li ho pregunte jo?

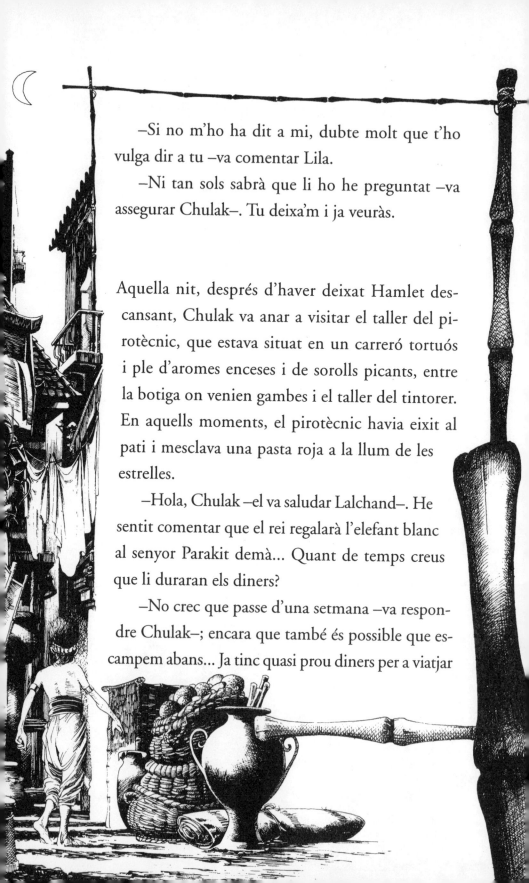

—Si no m'ho ha dit a mi, dubte molt que t'ho vulga dir a tu —va comentar Lila.

—Ni tan sols sabrà que li ho he preguntat —va assegurar Chulak—. Tu deixa'm i ja veuràs.

Aquella nit, després d'haver deixat Hamlet descansant, Chulak va anar a visitar el taller del pirotècnic, que estava situat en un carreró tortuós i ple d'aromes enceses i de sorolls picants, entre la botiga on venien gambes i el taller del tintorer. En aquells moments, el pirotècnic havia eixit al pati i mesclava una pasta roja a la llum de les estrelles.

—Hola, Chulak —el va saludar Lalchand—. He sentit comentar que el rei regalarà l'elefant blanc al senyor Parakit demà... Quant de temps creus que li duraran els diners?

—No crec que passe d'una setmana —va respondre Chulak—; encara que també és possible que escampem abans... Ja tinc quasi prou diners per a viatjar a l'Índia. I crec que, allà, exerciré l'ofici de pirotècnic, perquè és una faena bonica...

—Això ho dius tu, que és una faena bonica! —es va enfadar Lalchand—. La pirotècnia és un art sagrat... Es necessita molt de talent i molta dedicació, a més del favor dels déus, per a ser un bon pirotècnic... I tu, desvergonyit, només fas que perdre el temps.

—Si és així —va preguntar el xiquet—, com arribares tu a ser pirotècnic?

—Vaig aprendre l'ofici del meu pare i, després, vaig haver de demostrar que posseïa els tres dons.

—Els tres dons, eh? —va comentar Chulak, que no tenia ni idea de què era això; però va pensar que Lila devia saber-ho—. I els posseïes?

—Naturalment que sí!

—I ja està tot? No pareix que siga difícil. Estic segur que jo també superaria la prova; tinc més de tres dons, jo...

—Sí, home... —va dir Lalchand—. No és això i prou... Després va la part més difícil i perillosa de l'aprenentatge. Qui vulga ser un bon pirotècnic —i, en dir aquelles paraules, va abaixar molt la veu i va mirar al seu voltant, per assegurar-se que ningú més no el sentia—... qui vulga ser un bon pirotècnic, ha de viatjar a la cova de Razvani, el Dimoni del Foc, que està al mateix cor de les muntanyes Merapi, i tornar-ne amb una miqueta de sofre reial, que és l'ingredient imprescindible per a fabricar uns bons focs d'artifici. Sense fer això, ningú no pot arribar a ser un artista pirotècnic.

–Ah! –va dir Chulak–. Sofre reial... Les muntanyes Merapi... Allà hi ha un volcà, no?

–Sí, ignorant, i ja t'he dit massa coses i tot... Això és un secret, saps?

–Naturalment –va dir Chulak, molt solemne–. Jo sé guardar un secret...

I Lalchand va sentir la incòmoda sensació que l'havien enganyat, però no sabia com ni per què.

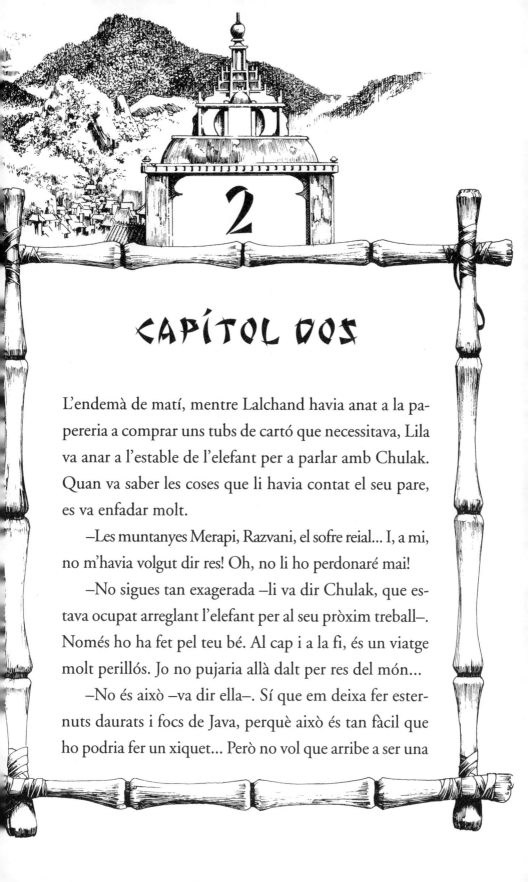

CAPÍTOL DOS

L'endemà de matí, mentre Lalchand havia anat a la papereria a comprar uns tubs de cartó que necessitava, Lila va anar a l'estable de l'elefant per a parlar amb Chulak. Quan va saber les coses que li havia contat el seu pare, es va enfadar molt.

—Les muntanyes Merapi, Razvani, el sofre reial... I, a mi, no m'havia volgut dir res! Oh, no li ho perdonaré mai!

—No sigues tan exagerada –li va dir Chulak, que estava ocupat arreglant l'elefant per al seu pròxim treball–. Només ho ha fet pel teu bé. Al cap i a la fi, és un viatge molt perillós. Jo no pujaria allà dalt per res del món...

—No és això –va dir ella–. Sí que em deixa fer esternuts daurats i focs de Java, perquè això és tan fàcil que ho podria fer un xiquet... Però no vol que arribe a ser una autèntica artista pirotècnica. Vol que siga una xiqueta tota la vida. I no ho seré, Chulak, ja m'he cansat. Aniré a les muntanyes Merapi, en tornaré amb el sofre reial i em convertiré en una autèntica pirotècnica, encara que haja de treballar sola i fer la competència al negoci del meu pare. Ja ho veuràs.

–No! Espera! Hauries de parlar amb ell...

Però Lila ja no el sentia. Va córrer fins a sa casa, va fer un fardell amb una miqueta de menjar i una manta, va agafar unes poques monedes de bronze i va deixar una nota escrita per al seu pare:

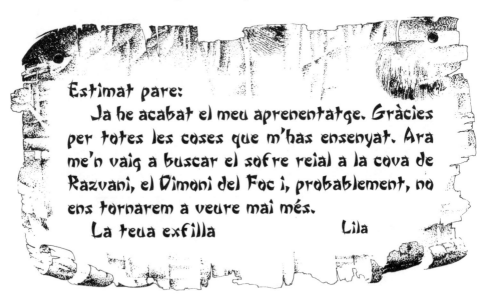

Estimat pare:
   Ja he acabat el meu aprenentatge. Gràcies per totes les coses que m'has ensenyat. Ara me'n vaig a buscar el sofre reial a la cova de Razvani, el Dimoni del Foc i, probablement, no ens tornarem a veure mai més.
La teua exfilla   Lila

Després va pensar que faria bé d'agafar algun dels focs que ella mateixa havia fabricat, per demostrar la seua

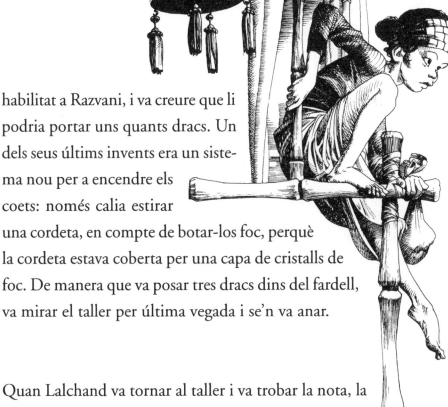

habilitat a Razvani, i va creure que li
podria portar uns quants dracs. Un
dels seus últims invents era un siste-
ma nou per a encendre els
coets: només calia estirar
una cordeta, en compte de botar-los foc, perquè
la cordeta estava coberta per una capa de cristalls de
foc. De manera que va posar tres dracs dins del fardell,
va mirar el taller per última vegada i se'n va anar.

Quan Lalchand va tornar al taller i va trobar la nota, la
va llegir i es va horroritzar.

–Oh! Lila, Lila... No saps què estàs fent –cridava, i
va eixir del taller, decidit a trobar-la.

–Has vist la meua filla Lila? –va preguntar a l'home
que venia gambes fregides.

–Se n'ha anat per allà –va assenyalar amb el dit–.
Deu fer una mitja hora...

–Duia un fardell al coll –va afegir el tintorer–, com
si se n'anara de viatge...

Lalchand la va seguir sense pensar en res més. Però
era un home vell, amb un cor feble i no podia córrer
pels carrerons estrets i plens de gent: hi havia tricicles,
carros de bous, una caravana de comerciants de seda que

es dirigia al mercat i, a la gran avinguda, hi havia una processó. Hi havia tanta gent i tan junta que Lalchand no va poder passar avant.

La causa de tant de rebombori era que el rei havia regalat l'elefant blanc a un nou propietari. Chulak encapçalava la processó, seguit de Hamlet, i al seu darrere desfilaven músics que tocaven flautes de bambú i tambors de fusta, ballarines que feien contorsions i feien sonar les ungles i un fum de criats carregats amb els instruments de mesura necessaris per a prendre mides en la nova casa de Hamlet i informar el nou propietari

de quantes cortines de seda i quantes estores de vellut havia de comprar. Les banderes i els estendards onejaven al vent i lluïen al sol i l'elefant blanc brillava com una muntanya nevada.

Lalchand es va obrir pas entre la gent per a poder acostar-se a Chulak.

–Li has contat, a Lila, tot això de Razvani i del sofre reial? –li va preguntar.

–Sí –va confessar Chulak–. Li ho hauries d'haver dit tu, per què?

–Per què se n'ha anat de casa, llengua llarga! Pretén arribar ella sola a les muntanyes Merapi... I no sap res de l'altre secret.

–Hi havia més secrets?

–Naturalment! –va assegurar Lalchand, que s'afanyava per a no quedar-se arrere–. Ningú no pot anar a la cova del Dimoni del Foc sense protecció. Necessitarà l'aigua màgica del llac de la deessa Maragda o morirà cremada per les flames... Oh, Chulak, què has fet?

Chulak va engolir saliva i no va dir res. Estaven arribant ja a la casa del nou propietari de l'elefant blanc i havien d'esperar que els criats, els ballarins, els músics i els portadors de les banderes i els estendards formaren les dues files entre les quals havia de passar l'elefant blanc.

En aquells moments, Hamlet va sospirar en veu molt baixa, de manera que només el sentira Chulak:

–Jo la trobaré! Ajuda'm a escapar aquesta nit, Chulak, i jo aniré al llac i li portaré l'aigua màgica que necessita.

–Bona idea! –va sospirar Chulak, molt més animat–. Estava a punt de proposar-t'ho.

Després, va buscar Lalchand entre la gent i li va dir:

–Escolta: vull proposar-te una cosa. Hamlet i jo la trobarem. Escaparem a la nit. Ni l'aigua màgica del llac de la deessa Maragda ni les muntanyes Merapi seran cap problema... –Aleshores, Chulak es va dirigir als criats:– Obriu pas! –va cridar–. Haurem d'entrar per la part de darrere... Senyor, senyor, quina porta més menuda, l'haurem de tirar. I què és açò? Grava! Preteneu que l'elefant blanc camine per damunt la grava? Vinga, porteu una estora roja. Vinga, de pressa!

Va picar de mans unes quantes vegades i els criats s'escamparen per la casa, fent reverències. Al pati posterior de la casa, el nou propietari de l'elefant plorava desconsolat. Chulak va murmurar, a l'orella de Lalchand:

–No et preocupes. Ho arreglarem tot aquesta nit... Només necessitaré una lona gran.

–Una lona gran? I per a què la vols?

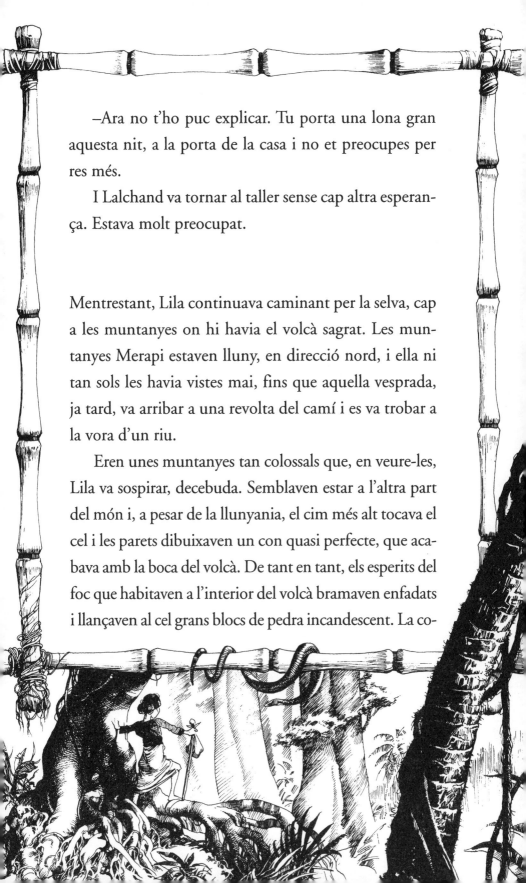

—Ara no t'ho puc explicar. Tu porta una lona gran aquesta nit, a la porta de la casa i no et preocupes per res més.

I Lalchand va tornar al taller sense cap altra esperança. Estava molt preocupat.

Mentrestant, Lila continuava caminant per la selva, cap a les muntanyes on hi havia el volcà sagrat. Les muntanyes Merapi estaven lluny, en direcció nord, i ella ni tan sols les havia vistes mai, fins que aquella vesprada, ja tard, va arribar a una revolta del camí i es va trobar a la vora d'un riu.

Eren unes muntanyes tan colossals que, en veure-les, Lila va sospirar, decebuda. Semblaven estar a l'altra part del món i, a pesar de la llunyania, el cim més alt tocava el cel i les parets dibuixaven un con quasi perfecte, que acabava amb la boca del volcà. De tant en tant, els esperits del foc que habitaven a l'interior del volcà bramaven enfadats i llançaven al cel grans blocs de pedra incandescent. La co-

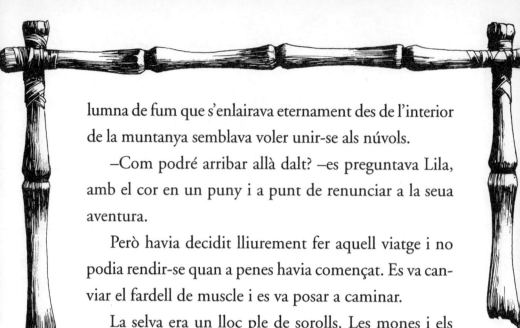

lumna de fum que s'enlairava eternament des de l'interior de la muntanya semblava voler unir-se als núvols.

—Com podré arribar allà dalt? —es preguntava Lila, amb el cor en un puny i a punt de renunciar a la seua aventura.

Però havia decidit lliurement fer aquell viatge i no podia rendir-se quan a penes havia començat. Es va canviar el fardell de muscle i es va posar a caminar.

La selva era un lloc ple de sorolls. Les mones i els lloros cridaven des dels arbres i els cocodrils, a la vora del riu, feien cruixir les seues mandíbules. Sovint, Lila es veia obligada a caminar amb precaució, per no trepitjar una serp que dormia al sol, i una vegada va sentir el rugit ferotge d'un tigre. No hi havia cap persona a la vista, llevat d'uns pescadors que s'esforçaven a fer arribar la barca a la vora del riu.

Lila els va observar, mentre els homes acostaven la barca a la vora del riu on estava ella. Però no avançaven gens, perquè no semblaven remers experts. Hi havia sis o set homes, però els rems només feien que xocar els uns contra els altres. Mentre Lila els mirava, un dels remers va traure tant el seu rem de l'aigua que va colpejar el cap d'un dels altres homes. El pescador colpejat es va girar i va colpejar l'altre amb el puny tancat, de manera que l'home va estar a punt de caure de la barca, però només va deixar anar el

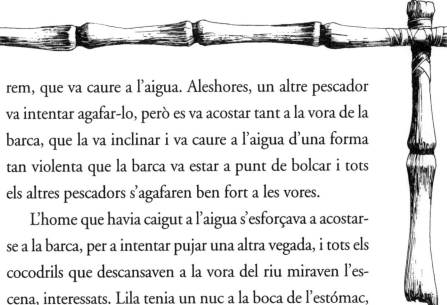

rem, que va caure a l'aigua. Aleshores, un altre pescador va intentar agafar-lo, però es va acostar tant a la vora de la barca, que la va inclinar i va caure a l'aigua d'una forma tan violenta que la barca va estar a punt de bolcar i tots els altres pescadors s'agafaren ben fort a les vores.

L'home que havia caigut a l'aigua s'esforçava a acostar-se a la barca, per a intentar pujar una altra vegada, i tots els cocodrils que descansaven a la vora del riu miraven l'escena, interessats. Lila tenia un nuc a la boca de l'estómac, però aquells pescadors eren tan inútils que no va poder evitar riure; perquè quan l'home que havia caigut al riu es va agafar per fi a una vora de la barca, tots es van posar al mateix costat, per ajudar-lo, de manera que la barca va estar una altra vegada a punt de bolcar i tots es van salvar d'un pèl de caure al riu. De sobte, tots van descobrir què passava i es col·locaren, alhora, a l'altre costat de la barca, que va canviar de posició tan de pressa que els va fer caure, a tots, d'esquena.

Aleshores, els cocodrils que dormisquejaven a les vores del riu entraren dins l'aigua i es posaren a nadar en direcció a la barca.

—Vinga, pugeu-lo ja, inútils! —va cridar Lila—. Per un extrem, no per la vora!

Un dels pescadors va sentir Lila i va poder rescatar, per la proa de la barca, l'home que hi havia dins l'aigua, el qual va caure de cul i amb la boca oberta, com un peix, a l'interior de l'embarcació. Mentrestant, la barca havia arribat sola a la vora del riu i Lila la va agafar amb una mà, per a impedir que continuara movent-se.

Així que la van descobrir, els pescadors es feren senyals els uns als altres.

—Mira... —va dir un dels homes.

—Vinga —va murmurar un altre—. Pregunta-li-ho...

—No, la idea era teua, pregunta-li-ho tu.

—No, no era idea meua, era cosa de Chang!

–Però ell no pot dir res perquè encara està ple d'aigua...

Finalment, un dels pescadors va bufar amb força i es va aixecar amb tanta violència que la barca va estar a punt de caure una altra vegada. Era l'home més impressionant de tots, i el més corpulent; duia una gran ploma d'estruç al barret, uns bigots negres i enormes i un vestit dauat.

–Senyoreta –va dir–, m'equivocaria si pensara que tens la intenció de creuar a l'altra vora del riu?

–Això tenia la intenció de fer, en efecte –va respondre Lila.

L'home es va fregar les mans, complagut.

–I m'equivocaria si pensara que portes uns pocs diners?

—Algunes monedes porte, sí —va dir
Lila—. Em podreu passar a l'altra vora?
Us pagaré...

—No se'n parle més —va dir l'home, sa-
tisfet—. Rambashi, el taxista del riu, al vostre
servei. Jo sóc Rambashi: benvinguda a bord.

Lila no veia gens clar per què un taxi del riu
havia de dur aquell nom tan estrany, *L'assassí
sanguinari*, pintat en un costat de la barca, ni
per què, per a fer de taxista, Rambashi havia de portar
tres punyals a la cintura: un recte, un altre corbat i un
tercer ondulat. Però no hi havia cap altra forma de passar
el riu i la xiqueta va pujar a la barca, intentant no tre-
pitjar l'home que havia estat a punt d'ofegar-se, que jeia
encara, completament mullat, al fons de l'embarcació.
Els altres no li feien gens de cas; de fet, alguns descan-
saven els peus sobre el cos d'aquell
home, com si fóra una estora.

—Amolleu les amarres, va-
lents! —va cridar Rambashi.

Lila va seure a la proa, ben
agafada de les baranes, mentre
L'assassí sanguinari s'en-
dinsava en el cor-
rent del riu. Al

seu darrere, podia sentir els colps dels rems que xocaven els uns contra els altres, les queixes dels homes quan un rem els pegava al cap o a l'esquena i les maleediccions i els laments de l'home que havia caigut de la barca i que s'esforçava a incorporar-se; però Lila no feia gaire cas dels pescadors perquè al riu hi havia moltes coses interessants. Hi havia libèl·lules i colibrís, una família d'ànecs que feien el passeig de la vesprada, cocodrils que suraven en l'aigua com si foren troncs i moltes coses més. Però, de sobte, va notar que s'havien acabat els crits i els laments, ningú no deia res i la barca ja no es movia perillosament, com abans. De fet, estaven parant.

Però els pescadors no estaven callats del tot, sinó que murmuraven:

—Li ho has de dir tu!

—No, jo no li ho diré. Ara et toca a tu!

—Tu havies dit que li ho diries i tu li ho has de dir!

—Que li ho diga Chang, ja és hora que faça alguna cosa...

—Ell no té valor per a fer això... Tu li ho has de dir!

Aleshores, Lila es va girar.

—Per l'amor de Déu! —va dir—. Es pot saber què...?

Però no va poder acabar la frase, perquè l'escena que va veure la va deixar sense paraules. Tots els rems estaven solts, repartits als costats de la barca, i els remers, que

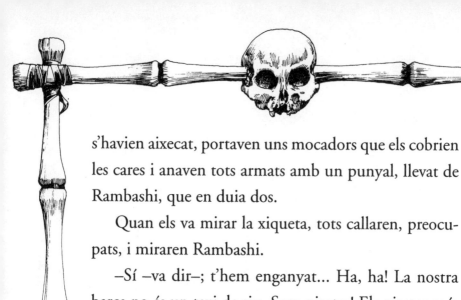

s'havien aixecat, portaven uns mocadors que els cobrien les cares i anaven tots armats amb un punyal, llevat de Rambashi, que en duia dos.

Quan els va mirar la xiqueta, tots callaren, preocupats, i miraren Rambashi.

–Sí –va dir–; t'hem enganyat... Ha, ha! La nostra barca no és un taxi de riu. Som pirates! Els pirates més sanguinaris del riu... Et tallarem el coll abans que pugues dir res.

–I ens beurem la teua sang –la va amenaçar un altre pirata.

–Ah, sí: ens beurem tota la teua sang... Vinga, dóna'm els diners!

I la va amenaçar amb els punyals amb tanta vehemència que la barca va estar a punt de bolcar i Lila a punt de riure.

–Paga ja! –va dir Rambashi–. Ets la nostra presonera! Volem els teus diners o la teua vida... I t'avise que estem disposats a tot i que som uns homes desesperats!

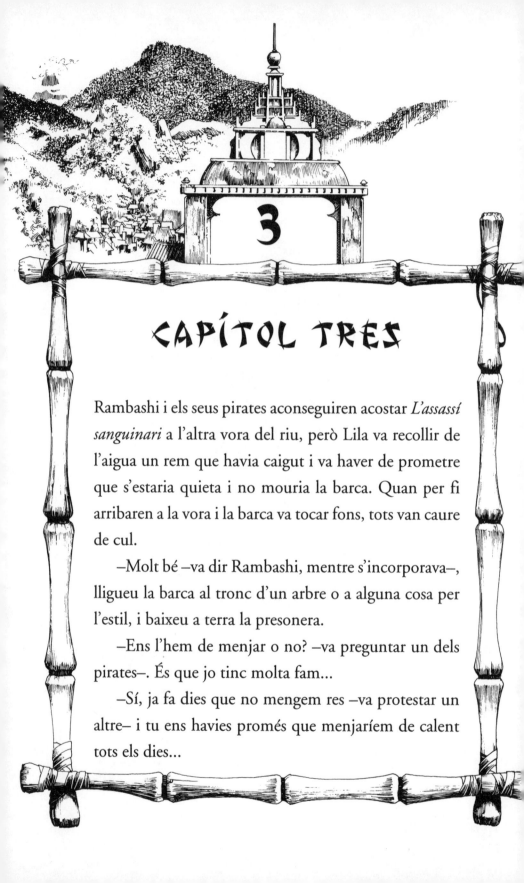

CAPÍTOL TRES

Rambashi i els seus pirates aconseguiren acostar *L'assassí sanguinari* a l'altra vora del riu, però Lila va recollir de l'aigua un rem que havia caigut i va haver de prometre que s'estaria quieta i no mouria la barca. Quan per fi arribaren a la vora i la barca va tocar fons, tots van caure de cul.

–Molt bé –va dir Rambashi, mentre s'incorporava–, lligueu la barca al tronc d'un arbre o a alguna cosa per l'estil, i baixeu a terra la presonera.

–Ens l'hem de menjar o no? –va preguntar un dels pirates–. És que jo tinc molta fam...

–Sí, ja fa dies que no mengem res –va protestar un altre– i tu ens havies promés que menjaríem de calent tots els dies...

—Ja n'hi ha prou! —va cridar Rambashi—. Només sou uns gossos arnats i famolencs. Porteu la presonera a la cova i deixeu de protestar.

Lila no estava gens segura de si podria escapar de seguida. Alguns d'aquells pirates tenien un aspecte molt ferotge i estava segura que la seguirien. Però quan els va observar amb més atenció va comprovar que els seus punyals eren de fusta embolicada amb paper de plata, de manera que no li podien fer gaire mal.

—Espere que no et moleste la nostra transacció —li va dir Rambashi, mentre caminaven per una senda de la selva—. És només un assumpte de negocis...

—Vols dir que m'heu segrestat? —va preguntar Lila.

—Jo diria que sí. Ara ens donaràs tots els diners que tingues i, després, et nugarem ben nugada i demanarem un rescat per tu.

—Ja heu fet això alguna altra vegada?

—Ja ho crec —va dir el pirata—, moltíssimes voltes.

—I què passarà si no us donen els diners?

—Si passa això...

—Ens mengem el presoner —va dir el pirata que tenia fam.

—Calla, home —li va ordenar Rambashi.

—Però si no sou caníbals... —va dir Lila.

—No —va dir el pirata famolenc—, però tenim molta fam.

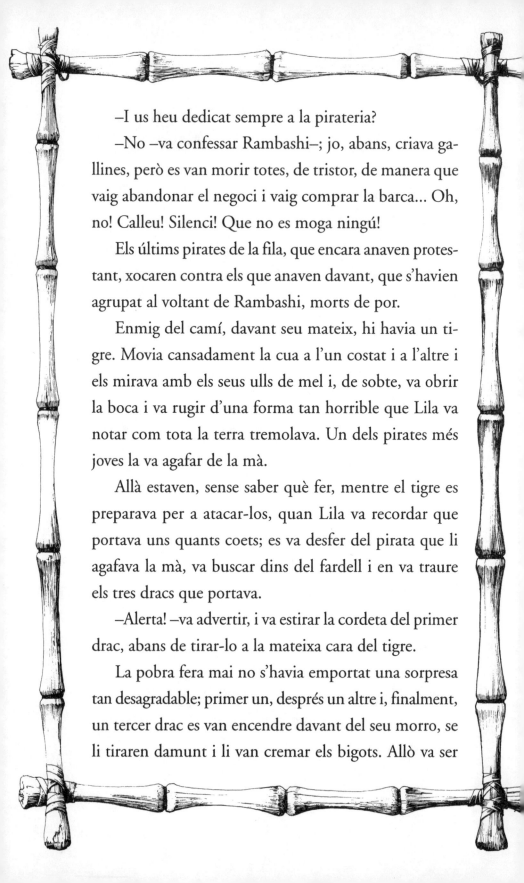

—I us heu dedicat sempre a la pirateria?

—No —va confessar Rambashi—; jo, abans, criava ga-
llines, però es van morir totes, de tristor, de manera que
vaig abandonar el negoci i vaig comprar la barca... Oh,
no! Calleu! Silenci! Que no es moga ningú!

Els últims pirates de la fila, que encara anaven protes-
tant, xocaren contra els que anaven davant, que s'havien
agrupat al voltant de Rambashi, morts de por.

Enmig del camí, davant seu mateix, hi havia un ti-
gre. Movia cansadament la cua a l'un costat i a l'altre i
els mirava amb els seus ulls de mel i, de sobte, va obrir
la boca i va rugir d'una forma tan horrible que Lila va
notar com tota la terra tremolava. Un dels pirates més
joves la va agafar de la mà.

Allà estaven, sense saber què fer, mentre el tigre es
preparava per a atacar-los, quan Lila va recordar que
portava uns quants coets; es va desfer del pirata que li
agafava la mà, va buscar dins del fardell i en va traure
els tres dracs que portava.

—Alerta! —va advertir, i va estirar la cordeta del primer
drac, abans de tirar-lo a la mateixa cara del tigre.

La pobra fera mai no s'havia emportat una sorpresa
tan desagradable; primer un, després un altre i, finalment,
un tercer drac es van encendre davant del seu morro, se
li tiraren damunt i li van cremar els bigots. Allò va ser

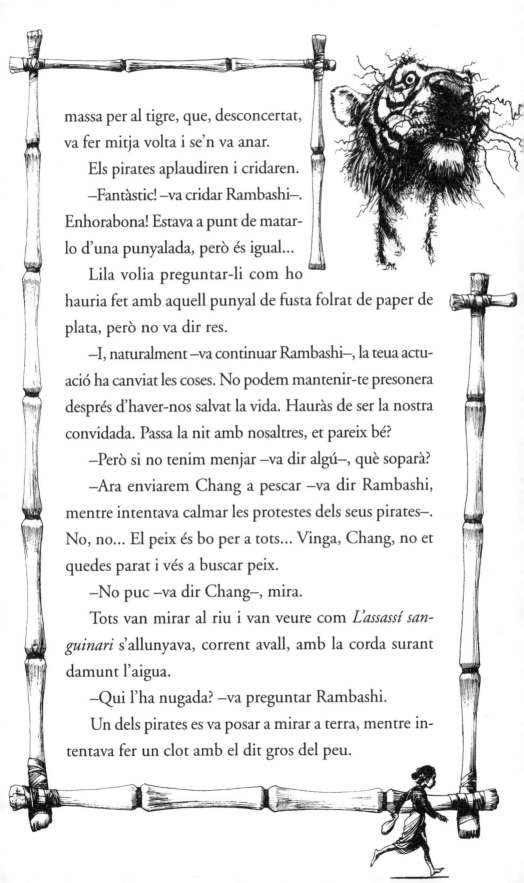

massa per al tigre, que, desconcertat, va fer mitja volta i se'n va anar.

Els pirates aplaudiren i cridaren.

–Fantàstic! –va cridar Rambashi–. Enhorabona! Estava a punt de matar-lo d'una punyalada, però és igual...

Lila volia preguntar-li com ho hauria fet amb aquell punyal de fusta folrat de paper de plata, però no va dir res.

–I, naturalment –va continuar Rambashi–, la teua actuació ha canviat les coses. No podem mantenir-te presonera després d'haver-nos salvat la vida. Hauràs de ser la nostra convidada. Passa la nit amb nosaltres, et pareix bé?

–Però si no tenim menjar –va dir algú–, què soparà?

–Ara enviarem Chang a pescar –va dir Rambashi, mentre intentava calmar les protestes dels seus pirates–. No, no... El peix és bo per a tots... Vinga, Chang, no et quedes parat i vés a buscar peix.

–No puc –va dir Chang–, mira.

Tots van mirar al riu i van veure com *L'assassí sanguinari* s'allunyava, corrent avall, amb la corda surant damunt l'aigua.

–Qui l'ha nugada? –va preguntar Rambashi.

Un dels pirates es va posar a mirar a terra, mentre intentava fer un clot amb el dit gros del peu.

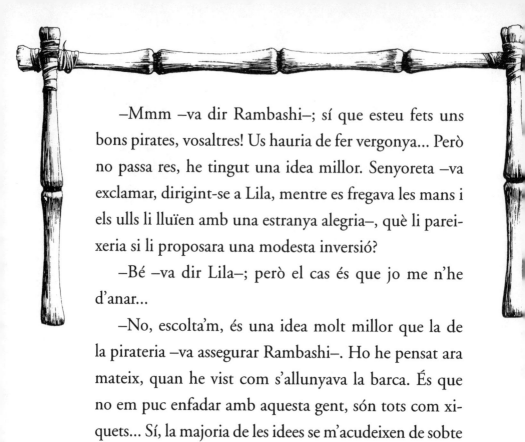

—Mmm —va dir Rambashi—; sí que esteu fets uns bons pirates, vosaltres! Us hauria de fer vergonya... Però no passa res, he tingut una idea millor. Senyoreta —va exclamar, dirigint-se a Lila, mentre es fregava les mans i els ulls li lluïen amb una estranya alegria—, què li pareixeria si li proposara una modesta inversió?

—Bé —va dir Lila—; però el cas és que jo me n'he d'anar...

—No, escolta'm, és una idea molt millor que la de la pirateria —va assegurar Rambashi—. Ho he pensat ara mateix, quan he vist com s'allunyava la barca. És que no em puc enfadar amb aquesta gent, són tots com xiquets... Sí, la majoria de les idees se m'acudeixen de sobte i aquesta és una de les millors. No pot fallar!

—Podrem menjar? —va preguntar un dels pirates, irònic.

—Que si podrem menjar, dius? Si precisament es tracta d'això... Escolteu-me i veureu... Escolta'm tu també, xiqueta, només són uns pocs diners, la inversió més segura que hages fet mai...

Però Lila ja havia començat a caminar i, mentre avançava per la senda de la selva, encara va poder sentir la veu de Rambashi.

—No, escolteu-me vosaltres; sé que aquesta vegada no pot fallar, ho he vist més clar que

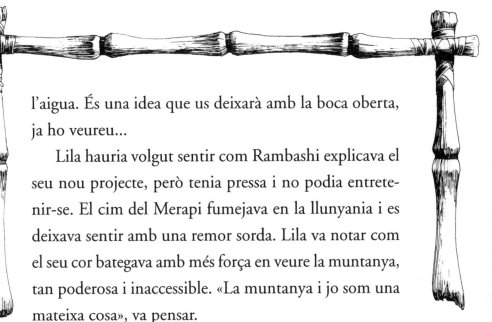

l'aigua. És una idea que us deixarà amb la boca oberta, ja ho veureu...

Lila hauria volgut sentir com Rambashi explicava el seu nou projecte, però tenia pressa i no podia entretenir-se. El cim del Merapi fumejava en la llunyania i es deixava sentir amb una remor sorda. Lila va notar com el seu cor bategava amb més força en veure la muntanya, tan poderosa i inaccessible. «La muntanya i jo som una mateixa cosa», va pensar.

I va continuar caminant sense cap altre pensament i l'emoció posava ales als seus peus.

Mentrestant, Chulak estava preparat per a traure dissimuladament Hamlet de la casa del seu nou propietari, el qual havia anat a gitar-se ja, malhumorat i renegant, però els criats de la casa encara estaven desperts i Chulak els havia de distraure.

—Escolteu-me —els va dir, quan estaven reunits a la cuina—. Ja sabeu que heu de fer tot allò que faça feliç l'elefant blanc perquè, si no, el rei s'enfadarà molt, no?

Tots li van dir que sí.

—Bé, resulta que l'elefant està una miqueta nerviós. Mai no dorm bé la primera nit que està en una casa nova, per això crec que hauríem de jugar amb ell, per animarlo, un joc que li agrada molt i que es diu pas d'elefant. Vosaltres només heu d'anar al jardí i amagar-vos en qualsevol lloc, amb els ulls ben tancats. Després, quan noteu que s'acosta, heu de fer mitja volta i desaparéixer. És un joc que li encanta. Vinga, aneu a amagar-vos al jardí i jo us avisaré quan l'elefant estiga preparat...

Tots els esclaus van eixir al jardí més que de pressa, per la porta posterior de la casa, i així que tots van estar ben amagats i amb els ulls tancats, Chulak va obrir la porta principal i va fer eixir Hamlet de la casa.

–Encara com han posat l'estora que els he demanat –va murmurar–. Així no fas tant de soroll en caminar.

–Podrem passar pel zoològic? –li va preguntar Hamlet.

–No, ja saps que no... Oblida Frangipani per ara, hem d'ajudar Lila. I no respires tan fort!

En eixir de la casa, trobaren Lalchand que els esperava amb una lona gran, com havien acordat.

–Per a què la vols? –va preguntar Lalchand.

–Per a tapar-lo –va dir Chulak, i va fer que Hamlet es posara de genolls per a poder tapar-lo amb la lona–. Així no es veurà tant en la foscor.

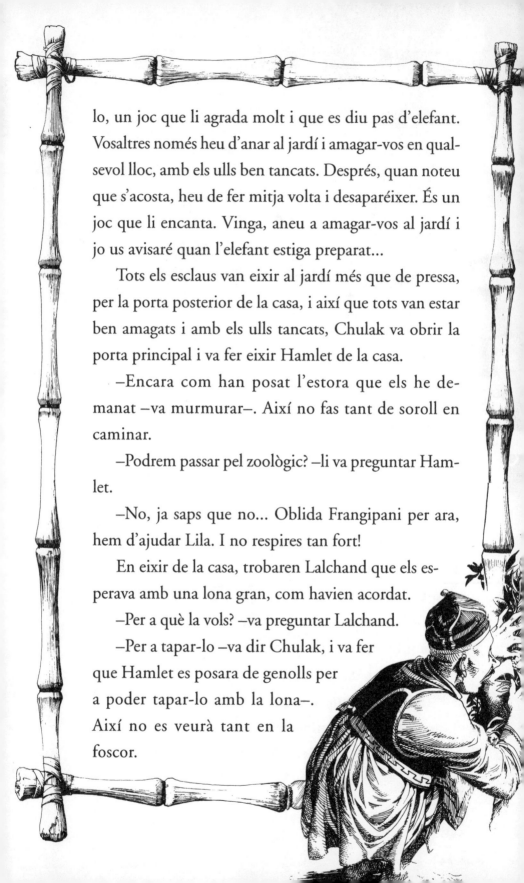

–Oh! –va protestar Hamlet–. La lona està calenta, em rasca la pell i fa mala olor. No teniu una manta de més qualitat?

–Crec que encara no ets conscient de la teua talla –li va dir Chulak.

–Aneu alerta! –els va dir Lalchand–. Crec que hauria d'anar amb vosaltres perquè és un viatge molt perillós... Oh! Hauria d'haver confiat en Lila i contar-li-ho tot... Sóc un vell estúpid!

–Sí –va dir Chulak–; però no et preocupes, nosaltres la trobarem... Anem, Hamlet.

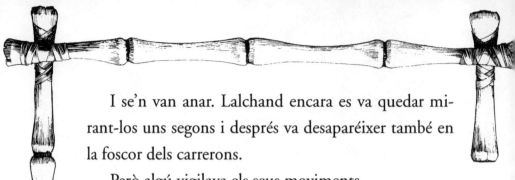

I se'n van anar. Lalchand encara es va quedar mi-
rant-los uns segons i després va desaparèixer també en
la foscor dels carrerons.

Però algú vigilava els seus moviments.

Un dels criats que s'havia posat a jugar al pas d'ele-
fant s'havia amagat darrere d'uns matolls pròxims i, en
comprendre què passava, es va posar a tremolar. Ajudar
a escapar l'elefant blanc era un crim terrible, que era
castigat amb els pitjors suplicis. I també hi hauria una
gratificació important per a la persona que delatara el
criminal. De manera que es va decidir a seguir Lalchand,
sense ser vist, per tal de saber qui era i on vivia.

Chulak i Hamlet caminaren durant tota la nit i, en fer-se
de dia, dormiren una miqueta, a l'ombra d'uns arbres
que creixien al fons d'una vall. Es van despertar a mitjan
vesprada i mentre Hamlet menjava fulles dels arbres,
Chulak va anar al poble més pròxim a preguntar per
on s'anava al llac Maragda. Poc de temps després, tornà
amb uns quants plàtans i algunes notícies.

–Saps una cosa, Hamlet? Hem tingut sort! Resulta que
aquesta nit hi ha lluna plena i la deessa del llac concedeix
desitjos a la gent. No podríem haver arribat en un mo-
ment millor... Acaba de menjar i posem-nos en marxa.

No eren els únics que es dirigien al llac Maragda aque-
lla vesprada. Els camins que creuaven la selva eren plens de
famílies amb les cistelles del berenar i fins i tot un grup de
mones semblava marxar en la mateixa direcció. Abans que
es ponguera el sol, Chulak i Hamlet van veure un jove que
enganxava uns cartells en els arbres pròxims al camí.

Chulak es disposava a llegir un d'aquells cartells quan
el jove el va veure.

–Hola, jo et conec! –li va dir–. I l'elefant és...

–Ens coneix molta gent –va assegurar Chulak–. És
aquest el camí que porta al llac Maragda?

–Sí, ja esteu molt a prop... Per cert, tu creus que...?
–el jove semblava indecís.

Però Chulak va comprendre de seguida què volia.

–De genolls, Hamlet –li va dir–. Tenim un
client...

Hamlet no podia dir res davant del jove, però
va mirar Chulak de molt mala ma-
nera, mentre es posava de genolls.
El jove va escriure unes paraules al
llom de Hamlet, amb un pal untat de
fang, i va donar una moneda a Chulak.

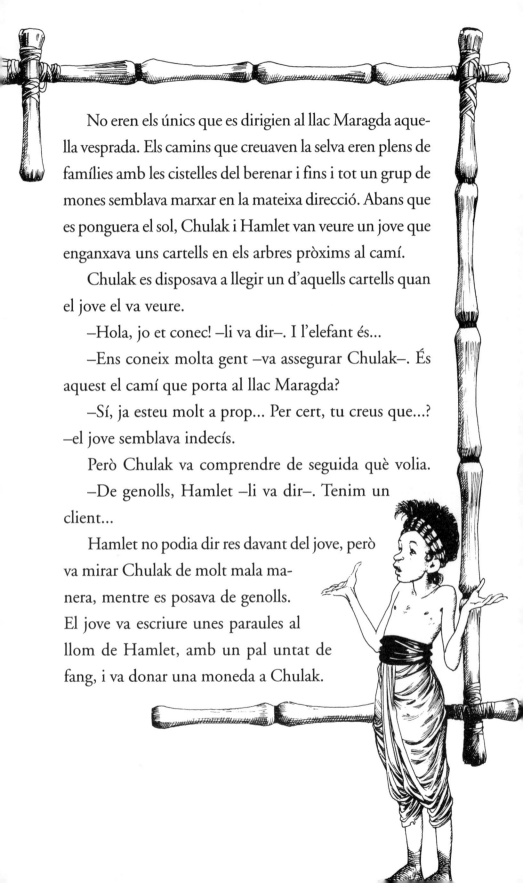

Gràcies —va dir el jove–. Ja veuràs en saber-ho el propietari...

I se'n va anar de pressa, mentre Chulak llegia les paraules que havia escrit:

MENGE AL RESTAURANT
RAMBASHI, EL MILLOR
DE LA SELVA

—Rambashi? —es va estranyar Chulak–. Jo tenia un oncle que es deia Rambashi, però criava gallines...

Els cartells que el jove havia enganxat als arbres també anunciaven el mateix restaurant; l'inauguraven aquella mateixa nit i si portaves un dels anuncis, el sopar t'eixia a meitat de preu.

—Estaria bé tornar a veure l'oncle Rambashi –va comentar Chulak–. Anem, que està a punt de fer-se de nit.

Caminaren de pressa i no tardaren a arribar a les vores del llac Maragda. A l'ombra d'uns grans arbres, a la mateixa vora de l'aigua, hi havia unes quantes casetes, construïdes damunt d'uns troncs, amb els focs encesos i uns fanalets de colors penjats a la porta i mentre la foscor tropical cobria el cel en cosa de cinc minuts, Chulak i Hamlet entraven a l'aldea.

Naturalment, un elefant blanc amb un anunci escrit al llom cridava molt l'atenció i, al cap de poc de temps,

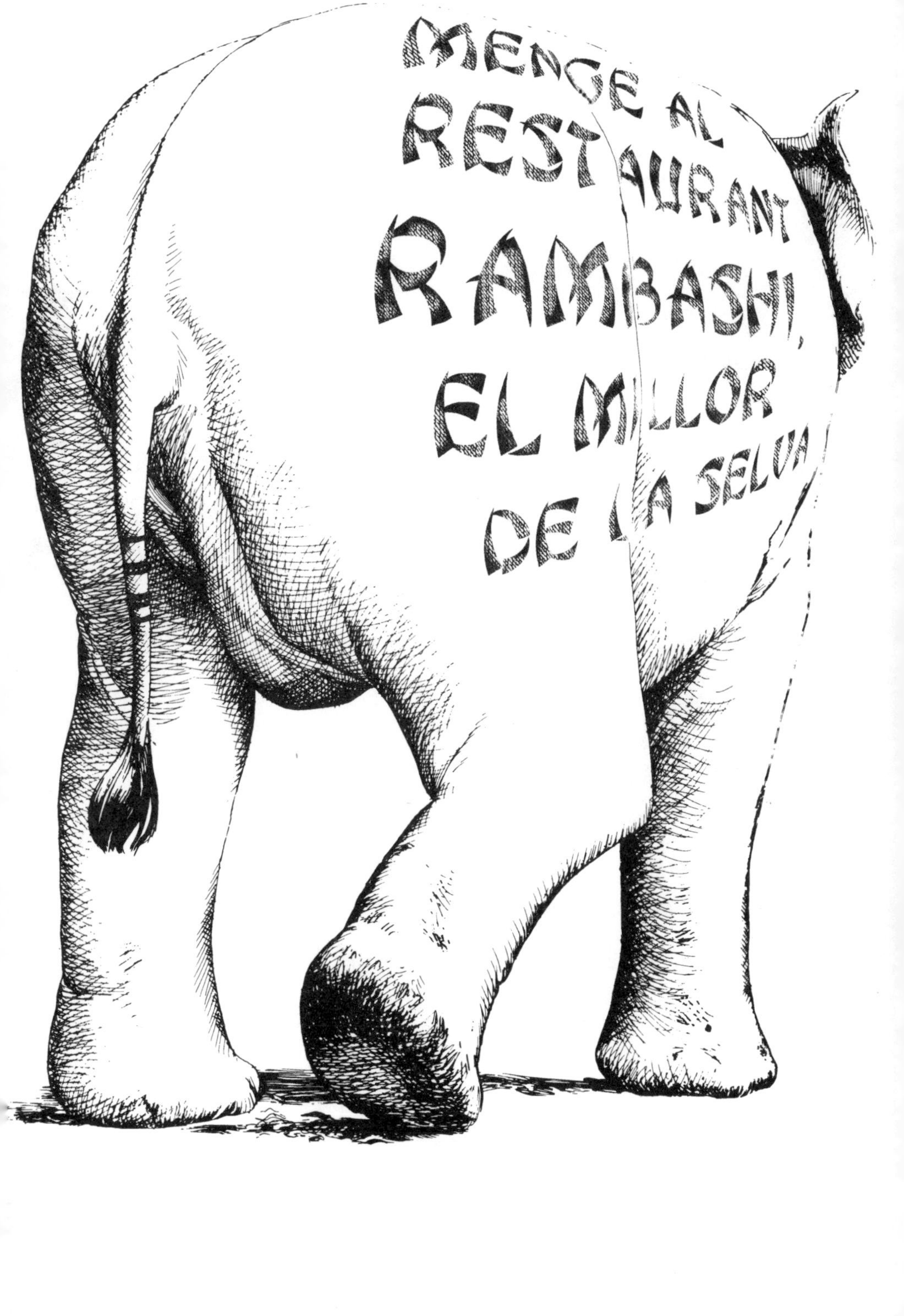
MENGE AL
RESTAURANT
RAMBASHI,
EL MILLOR
DE LA SELVA

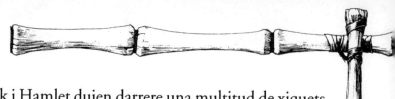

Chulak i Hamlet duien darrere una multitud de xiquets i també alguns vells que no tenien res millor a fer. Ni tan sols el grup de ballarines que estaven vestint-se per a la cerimònia d'aquella nit va poder resistir la temptació i la directora les hagué de perseguir, amb la boca plena d'agulles, per a fer-les tornar i donar-los una lliçó.

–Per on es va al restaurant de Rambashi? –va preguntar Chulak.

I algú li va assenyalar una barraca de fusta construïda damunt d'uns troncs, a la mateixa vora del llac. Hi havia una terrassa ornada amb banderetes de paper i taules amb estovalles de quadres, amb uns llums que eren botelles de vi i un núvol de vapor eixia de la cuina, d'on provenien els sons característics de fregir i bullir i una aroma deliciosa de carn, peix i salses.

–Hem arribat a hora, Hamlet. Què et pareix tot açò? I aquell és el meu oncle Rambashi –va dir Chulak.

Rambashi, que duia un davantal blanc damunt del vestit dauat, acompanyava uns clients quan els va veure.

–Chulak, fill meu, com m'alegre de veure't, i al teu... Vull dir a la teua mascota, que és un anunci ambulant fantàstic... Passeu avant, fill. Portes un anunci? Oh, no et preocupes per això. Avui sopar gratis per a tots, en honor a la lluna plena. Ja sé que perdré diners, però els recuperaré de seguida, perquè és una publicitat molt

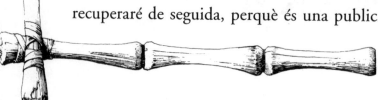

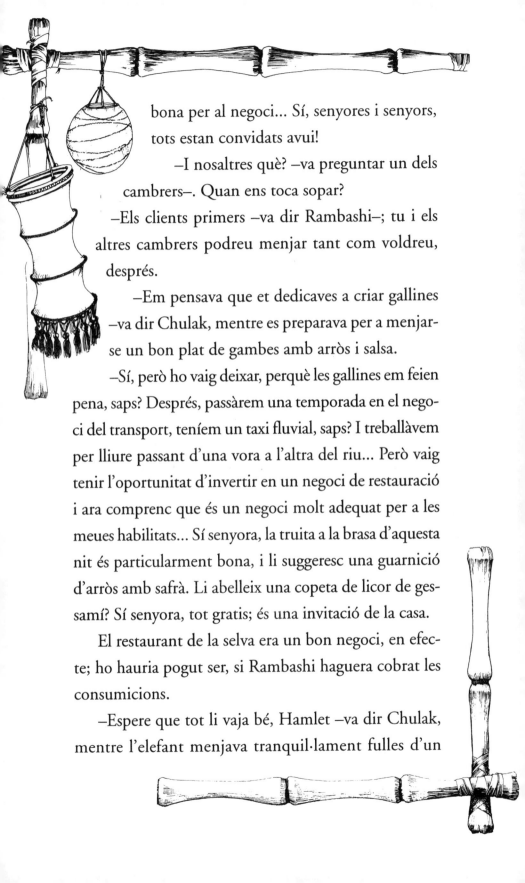

bona per al negoci... Sí, senyores i senyors, tots estan convidats avui!

—I nosaltres què? —va preguntar un dels cambrers—. Quan ens toca sopar?

—Els clients primers —va dir Rambashi—; tu i els altres cambrers podreu menjar tant com voldreu, després.

—Em pensava que et dedicaves a criar gallines —va dir Chulak, mentre es preparava per a menjar-se un bon plat de gambes amb arròs i salsa.

—Sí, però ho vaig deixar, perquè les gallines em feien pena, saps? Després, passàrem una temporada en el negoci del transport, teníem un taxi fluvial, saps? I treballàvem per lliure passant d'una vora a l'altra del riu... Però vaig tenir l'oportunitat d'invertir en un negoci de restauració i ara comprenc que és un negoci molt adequat per a les meues habilitats... Sí senyora, la truita a la brasa d'aquesta nit és particularment bona, i li suggeresc una guarnició d'arròs amb safrà. Li abelleix una copeta de licor de gessamí? Sí senyora, tot gratis; és una invitació de la casa.

El restaurant de la selva era un bon negoci, en efecte; ho hauria pogut ser, si Rambashi haguera cobrat les consumicions.

—Espere que tot li vaja bé, Hamlet —va dir Chulak, mentre l'elefant menjava tranquil·lament fulles d'un arbre les branques del qual penjaven sobre la terrassa–. Diu que és una publicitat molt bona per al restaurant i que ell creu que els clients continuaran venint quan els cobre... Jo no estic tan segur, però el menjar és bo; fa una miqueta de gust de fum, però és bo.

El cuiner de Rambashi tenia problemes amb les graelles i les havia de mullar amb aigua quan es posaven massa calentes; per això provocava uns núvols de vapor molt espessos i els cambrers els travessaven contínuament amb el menjar, els plats bruts, les botelles de licor, les cartes i uns cocos plens de gelat.

Mentrestant, les persones més velles de l'aldea preparaven la cerimònia de la lluna plena a la vora del llac. Chulak i Hamlet, ben alimentats, anaren a veure què passava.

L'arena de la vora estava molt neta, acabada d'agranar; hi havia fanalets penjats dels arbres i flors de tots els colors suraven en la superfície del llac. Hi havia tanta gent al voltant del llac que Chulak va haver de pujar al llom de Hamlet per a poder veure-ho tot bé.

Aleshores va començar la cerimònia. Un gran tambor va sonar tres vegades i l'orquestra va començar a tocar: gongs i xilòfons, i tambors i timbals i flautes. Una fila de ballarines va eixir del temple i va començar a avançar cap al llac; les xiques feien sonar les seues ungles pintades, que semblaven lluernes en la foscor, i les seues faldes daurades lluïen a la claror dels fanalets.

El cacic de l'aldea va encendre un ciri aromàtic i el va posar en una barqueta de paper que va fer surar fins al centre del llac. L'aroma de l'encens va omplir l'aire de la nit. De seguida aparegueren moltes altres barques de paper que suraven al costat de la primera i, aleshores, un xiquet va assenyalar els arbres que hi havia a l'altra vora del llac i va dir:

—Lluna!

Estava eixint la lluna plena i, en aquells moments, va augmentar el volum de la música i els gongs, els xilòfons i els timbals invocaren la deessa del llac.

I, de sobte, es va deixar veu-
re, encara que ningú no sabia
d'on havia eixit; era com si la de-
essa haguera aparegut quan nin-
gú no mirava, però de fet, tots
havien estat esperant-la i ningú
no la va veure arribar. S'acostava
a la vora del llac, surant sobre una estora de nenúfars.
Era una dona bellíssima, amb un vestit del color de
la lluna, ornada amb amulets i anells de plata i amb un
collar de flors de gessamí.

Tots els habitants del llogaret, l'un darrere de l'altre,
saludaren la deessa amb profundes reverències i li dema-
naren els seus favors: una dona li demanà que curara el seu
fill; un home li demanà una bona collita; uns enamorats
li demanaren que beneïra el seu matrimoni. La deessa va
amonestar els qui li demanaven massa coses, encara que
mai no negava els seus favors a ningú que tinguera pro-
blemes. Quan tots havien acabat i la deessa estava a punt
d'anar-se'n, Chulak va haver d'asserenar-se i quan va recu-
perar la calma, perquè la bellesa de la dona l'havia atordit,
es va acostar a la vora del llac i es va posar de genolls.

–Deessa, per favor, escolta el meu prec –va dir.

Però abans que la deessa li poguera respondre, algú el
va agafar pel muscle i, de molt males maneres, li va dir:

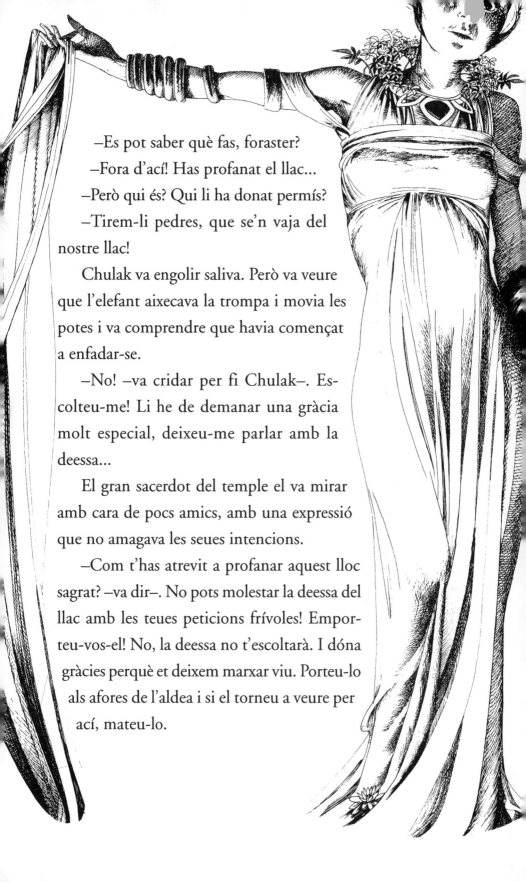

—Es pot saber què fas, foraster?

—Fora d'ací! Has profanat el llac...

—Però qui és? Qui li ha donat permís?

—Tirem-li pedres, que se'n vaja del nostre llac!

Chulak va engolir saliva. Però va veure que l'elefant aixecava la trompa i movia les potes i va comprendre que havia començat a enfadar-se.

—No! –va cridar per fi Chulak–. Escolteu-me! Li he de demanar una gràcia molt especial, deixeu-me parlar amb la deessa...

El gran sacerdot del temple el va mirar amb cara de pocs amics, amb una expressió que no amagava les seues intencions.

—Com t'has atrevit a profanar aquest lloc sagrat? –va dir–. No pots molestar la deessa del llac amb les teues peticions frívoles! Emporteu-vos-el! No, la deessa no t'escoltarà. I dóna gràcies perquè et deixem marxar viu. Porteu-lo als afores de l'aldea i si el torneu a veure per ací, mateu-lo.

CAPÍTOL QUATRE

De sobte, entre els crits i els sorolls de la gent que s'emportava Chulak, van sentir el so d'una trompeta molt potent i tots es van quedar morts de por. Chulak també es va preocupar, però per un altre motiu, perquè ell sabia de què es tractava i quan Hamlet bramava com una trompeta era que estava a punt de perdre la paciència.

Però, abans que cap dels presents poguera reaccionar, va ser la deessa del llac qui va parlar, amb una veu sedosa i greu, com la remor nocturna de les ones en una platja.

—Es pot saber qui causa tant de rebombori? Deixeu de discutir ara mateix... Està molt bé que intentes mantenir-me tranquil·la, gran sacerdot, però m'agradaria sentir què vol dir-me aquest jove i veure el seu elefant... Acosteu-vos els dos a la vora.

Chulak va buscar Hamlet entre la gent i va comprovar que l'enorme animal també tenia vergonya. Hamlet va avançar entre la multitud, amb molta cura per no trepitjar cap peu, i es va posar de genolls al costat de Chulak, sobre l'arena de la vora del llac. En aquella posició, els anuncis que portava escrits al llom es podien veure perfectament a la llum de la lluna. La deessa va llegir el primer i va demanar a l'elefant que es girara per a poder llegir l'altre:

—«Menge al restaurant Rambashi, el millor de la selva»... «Chang està enamorat de Flor de Lotus.»

—Em pensava que l'anunci de Chang ja l'havia esborrat —es va excusar Chulak.

—Crec que és encantador —va dir la deessa—. Però no ho has de fer més. El teu amic és massa intel·ligent i massa noble per a fer d'anunci ambulant i estic segura que, si parlara, t'ho diria ell mateix.

I va mirar Chulak d'una manera que el jove va comprendre perfectament què volia dir i es va sentir avergonyit pel seu comportament.

—Però —va continuar la deessa del llac— em fa la impressió que la teua petició no és gens frívola; dis-me què necessites...

—Tenim una amiga —va dir Chulak, molt seriós— que vol perfeccionar-se en l'art de la pirotècnia, sap? Ja ha aprés moltes coses de l'ofici, però ara vol recollir una miqueta de sofre reial de la cova de Razvani, el Dimoni del Foc, perquè el necessita per a millorar el seu art. De manera que se'n va anar sola a les muntanyes Merapi, però no sabia que havia de portar aigua màgica per a protegir-se de les flames i nosaltres no volem que li passe res de mal, per això hem vingut a demanar-li, per favor, que ens ajude si pot i ens done una miqueta d'aigua màgica i nosaltres anirem a buscar-la per veure si encara la podem ajudar.

La deessa va assentir amb el cap.

–La vostra amiga té bons amics –va dir–. Però les muntanyes Merapi són encara molt lluny i el viatge és llarg i perillós. Heu de partir ara mateix i anar amb molta precaució.

I, com si la deessa ja sabera què volien, els va donar una carabasseta amb un tap de plata. Chulak la va agafar i va tornar a fer una reverència i aleshores, l'orquestra es va posar a tocar i les ballarines a ballar i quan la gent va tornar a mirar en direcció al llac, la deessa ja havia desaparegut sense que cap dels presents haguera vist com se n'anava.

Abans d'anar-se'n, Chulak va rentar el llom de Hamlet amb l'aigua del llac; al principi, uns quants xiquets de l'aldea intentaren ajudar-lo, però duraren ben poc perquè, de seguida, una altra cosa va atraure la seua atenció:

una gran columna de fum i flames eixia del restaurant de Rambashi.

—Oh, senyor, senyor! —va exclamar Chulak—. Adéu a l'últim negoci de l'oncle Rambashi... A mi ja em semblava que aquell cuiner no era gaire expert... Espere que estiguen tots bé...

—Estan tots bé —va assegurar Hamlet— i els xiquets estan divertint-se molt amb el foc...

Mentre el sostre de la casa queia a terra encés en flames, sentiren crits d'excitació i d'alegria, provinents de la multitud. Els habitants de l'aldea havien format una cadena humana i es passaven de pressa els poals d'aigua del llac. Aleshores, Chulak va sentir com el seu oncle Rambashi deia:

—Quin espectacle! Quina foguera tan magnífica! Sabeu què, amics meus? Que aquest incendi m'ha donat una idea encara millor... Només hem de...

—Si ni tan sols hem sopat encara! —va cridar un dels cambrers.

—És hora d'anar-nos-en, Hamlet —va dir Chulak, i els dos es posaren a caminar per la vora del llac, en direcció a les muntanyes llunyanes.

En aquells moments, Lila havia arribat al límit de la selva. Sempre amunt, havia anat avançant i avançant i a mesura que els arbres desapareixien, el camí es convertia en una senda cada vegada més estreta, fins que desapareixia del tot. Havia deixat arrere tots els sons característics de la selva: el brunzit dels insectes, els cants dels ocells i els crits de les mones, les gotes d'aigua que queien sobre les fulles i el raucar de les granotes. Lila s'havia sentit acompanyada d'aquells sons durant una bona part del camí, però ara només sentia la remor dels seus peus sobre el terra i els laments ocasionals de la muntanya, que es queixava des de les profunditats amb tanta força que Lila notava com tremolava tant en les seues orelles com en les seues cames.

Quan es va fer de nit, la viatgera es va gitar a terra, al costat d'una gran roca, i es va abrigar amb la manta que portava. Però la claror de la lluna plena no la deixava dormir i no se sentia bé perquè les pedres que hi havia a terra se li clavaven en la carn. Finalment, es va destapar i s'incorporà, enfadada.

Però no hi havia ningú amb qui compartir aquells sentiments i Lila mai no s'havia sentit tan sola.

–M'agradaria saber com... –va dir, però va callar de seguida perquè no havia iniciat aquell viatge per a pensar en com anirien les coses per casa; ben al contrari, se n'havia anat de casa perquè no li agradava com anaven

les coses–. Bé, si no puc dormir, serà millor que continue caminant –va decidir.

Va plegar la manta i la tornà a guardar en el fardell, es va ajustar bé la roba, es va nugar les sandàlies i va continuar el seu camí.

El camí anava fent-se més i més costerut. Poc de temps després, Lila ja no veia el cim de la muntanya, de manera que va creure que estava pujant per un dels seus costats. Allà no hi havia plantes de cap classe, ni matolls ni herbes: només roques pelades i pedres soltes. I el terra era calent.

–Ja dec estar a prop –va pensar Lila–. Ja no puc estar lluny...

Però encara no havia acabat de pronunciar aquelles paraules, que el seu peu va trepitjar una pedra solta, que va lliscar i la va fer caure a terra, redolant, i rodejada i colpejada per una dotzena de pedres més o menys grans.

Lila es va quedar sense alé i ni tan sols tenia forces per a queixar-se ni per a plorar, mentre les pedres la feien redolar i li colpejaven totes les parts del cos. Finalment, les roques es pararen en un pla, quasi al peu de la muntanya i Lila es va quedar estesa a terra, tan llarga com era. Es va incorporar a poc a poc i comprovà que no tenia ferides importants.

—Caram! —va dir—. N'he tingut jo la culpa... Això m'ha passat per no mirar on posava els peus. Hauré de caminar amb més atenció.

Quan, finalment, es va incorporar del tot, va notar que havia perdut una sandàlia, que havia continuat redolant muntanya avall, rodejada de pedres i roques. No la va veure per cap lloc i, amb molta precaució, va posar el peu nu a terra i va notar que el sòl estava encara més calent.

Bé, ja no hi havia res a fer amb la sandàlia i, al cap i a la fi, ella havia anat a la muntanya a recollir el foc. No s'havia cremat tantes vegades a casa, mentre aprenia l'ofici? I, d'altra banda, per a què volia ella uns peus delicats?

Va continuar pujant per la muntanya, més i més amunt. Poc de temps després va arribar a un lloc on totes les pedres estaven soltes i l'obligaven a retrocedir dues passes cada vegada que n'avançava tres. Tenia els peus fets una llàstima i les cames plenes de ferides i, aleshores, va perdre l'altra sandàlia; va estar a punt de plorar de desesperació perquè no hi havia ni rastre de la cova, només una costera inacabable de pedres soltes i calentes que lliscaven sota els seus peus.

Notava que tenia la gola seca i els pulmons fatigats per aquell aire on cada vegada hi havia menys oxigen; va caure de genolls i es va aferrar amb els dits de les mans tremoloses a les pedres que lliscaven i no li permetien avançar. Va deixar arrere el fardell amb el menjar i la manta, que ara ja no li importaven gens; només tenia al cap la idea de pujar i pujar cada vegada més alt. S'arrossegava costera amunt amb els genolls i les mans plens de ferides, fins que va notar que ja no li quedava aire als pulmons i va creure que estava a punt de morir. Però va continuar ascendint.

Aleshores, una roca enorme va començar a moure's una miqueta més amunt, i va fer caure centenars de pedres més menudes que passaven per damunt de Lila, que ni es podia moure ni tenia on amagar-se; però en l'últim segon, l'enorme roca va rebotar contra una altra, va passar per dalt de Lila i va caure, muntanya avall, envoltada d'un núvol de pols i pedres menudes.

Aquella roca enorme tapava un forat que hi havia a la muntanya, tan gran com la porta d'una casa. La llum de la lluna plena il·luminava l'entrada de la cova, però a l'interior regnava la foscor més absoluta. Un núvol de vapor amb olor de sofre va eixir per la boca de la cova i Lila va saber, així, que havia arribat al seu destí: aquella era la cova on vivia el Dimoni del Foc.

CAPÍTOL CINC

Va aconseguir incorporar-se, a pesar que els braços li tremolaven, i es va endinsar en la cova. El sòl era calent com el d'un forn i l'aire resultava irrespirable. Va continuar caminant cap al centre de la terra, més enllà de la franja il·luminada per la lluna i no sentia res, llevat del silenci, ni veia res, llevat d'unes roques cada vegada més fosques.

Unes parets molt altes, de roca pelada, vorejaven el camí a dreta i esquerra i ella les palpava amb les seues mans ferides. I, de sobte, el túnel s'obria a una gran cova. Lila no havia vist mai un recinte tan enorme i tan buit de vida i li va caure l'ànima als peus perquè havia fet un viatge molt llarg i perillós i allà no hi havia res.

Decebuda, es va deixar caure a terra. I com si aquell gest fóra un senyal, una dèbil flameta es va deixar veure, per uns segons, en una escletxa de la paret, i tornà a desaparéixer. Després en va veure una altra, en un altre lloc. I una tercera.

Aleshores, la terra va tremolar i es va sentir un lament profund i la paret de pedra es va obrir i, de sobte, tota la cova es va il·luminar amb una claror encegadora.

Lila es va incorporar, atordida, mentre les flames creixien i arribaven fins al sostre de la cova. I en pocs segons, la cova es va omplir de claror i de moviment perquè milers de donyets del foc, en grup, xocaven contra la roca i entre ells mateixos, mentre una gran estora de lava bullent s'estenia sobre el sòl de la cova i començaren a sentir-se milers de colps de martells sobre encluses, que semblaven marcar el ritme d'una frenètica dansa del foc.

La cova es va omplir de llum i soroll. Milers i milers de donyets del foc flamejants corrien amunt i avall armats dels seus martells i anaven i venien provocant espurnes amb els seus moviments i colpejaven l'enorme paret de pedra, fins que el mur sencer va caure com si fóra de cera. Aleshores, les criatures flamejants van córrer a agafar amb les seues mans enceses el sofre incandescent per a posar-se'l en les seues boquetes i en menjaren i en menjaren fins que una altra massa de roques va caure sobre ells i els va apagar.

I aleshores, al cor de la llum i del foc, entre el soroll infernal, va aparéixer el mateix Razvani en persona, el gran Dimoni del Foc, el cos del qual era una massa encesa en flames i la cara una màscara de llum encegadora.

Milers de donyets del foc s'apartaren en veure'l aparéixer i fins i tot les flames s'inclinaren per a fer-li una reverència, com va fer Lila.

Amb una veu que era com la remor del foc que devasta un bosc, Razvani va parlar:

—Qui t'ha donat permís per a entrar en la meua cova?

Lila va engolir saliva perquè tenia la boca seca; cada vegada que respirava, li feia la impressió que els seus pulmons s'omplien de foc.

—Vull aprendre els secrets de la pirotècnia —va poder dir per fi.

Razvani va deixar escapar una gran riallada.

—Tu? Ni en somnis! I què vols que faça jo?

—Que em doneu sofre reial —va poder murmurar.

En sentir aquelles paraules, el Dimoni del Foc va riure encara amb més ganes i els donyets li feren costat amb crits de burla i rialles.

—Sofre reial! Ho heu sentit? És una broma molt bona... Té molta gràcia. I digues, filla, tens els tres dons?

Lila va arronsar les espatles i va fer que no amb el cap. A penes podia pronunciar una paraula.

–No sé què són –va dir.

–Aleshores, què pensaves donar-me en canvi del sofre reial? –va bramar Razvani.

–No ho sé.

–No pensaves donar-me res en canvi?

Lila no va saber què dir i es va limitar a abaixar la mirada.

–Bé, has fet un viatge molt llarg –va dir el Dimoni del Foc– i ara ja no pots tornar arrere. Com que has vingut, hauràs de caminar sobre el foc, com qualsevol aspirant a pirotècnic. Espere que hages portat una miqueta d'aigua màgica de la meua cosina, la deessa del llac... A mi no m'has portat cap present però espere que, almenys, no hages oblidat protegir-te tu mateixa. Més val que te la begues ja...

—No he portat res —va sospirar Lila—. Jo no sabia res de l'aigua màgica ni dels tres dons... Jo només vull ser una bona pirotècnica, Razvani. He inventat uns dracs que s'encenen sols i unes monedes brillants. Ja he aprés totes les coses que podia ensenyar-me el meu pare. I jo només vull això, ser una bona pirotècnica, com ell.

Però Razvani només va riure en sentir aquelles paraules.

—Mostreu-li els fantasmes! —va ordenar, mentre aplaudia amb les seues mans de foc.

Immediatament, es va obrir una gran escletxa en la roca i en va eixir una processó de fantasmes, precedits per uns quants donyets del foc. Aquells fantasmes estaven tan pàl·lids i eren tan transparents que Lila a penes els podia veure, però en sentia perfectament els laments.

—Alerta! Mira'm, jo vaig venir sense els tres dons...

—Ai! Fes-me cas: jo no havia dedicat prou hores per a aprendre i encara no estava preparat!

—Torna a casa, filla meua! Jo era un arrogant i un tossut. No vaig voler portar l'aigua màgica de la deessa i vaig morir entre les flames!

Sospirant i plorant, els fantasmes van creuar el llac de foc i van desaparéixer per una altra escletxa de la roca.

–Això els passa als qui no vénen preparats –va dir Razvani–. Però ara t'hauràs de sotmetre a les proves, com van fer ells. Camina sobre les flames, Lila. Has vingut a emportar-te el sofre reial, no? L'hauràs de prendre de les meues mans...

I va riure d'una forma terrible, abans de girar sobre ell mateix per a dibuixar al seu voltant un cercle perfecte i flamejant. La cara del Dimoni del Foc a penes es veia entre les flames roges, grogues i taronja, però la seua veu se sentia perfectament, per damunt del crepitar del foc.

–Vols ser una bona pirotècnica? Camina sobre les meues flames! Ton pare ho va fer en el seu moment, i tots els qui volen ser artistes del foc ho han de fer. Has vingut a passar les proves... Què esperes?

Tenia una por terrible. Però sabia que ho havia de fer; s'estimava més convertir-se en fantasma que no tornar a casa amb les mans buides, sense haver aconseguit l'única cosa que s'havia proposat en aquesta vida.

Va avançar un pas i després un altre i va notar com els seus peus es cremaven i el dolor la va fer cridar molt fort. Però va avançar un altre pas i quan va comprendre que no ho podria suportar més va sentir un so semblant al d'una trompeta a l'entrada de la cova i, entre el crepitar de les flames, va sentir una veu que li deia:

–Lila! L'aigua! Tin, tin...

I va veure al seu costat una figura humana que portava alguna cosa a la mà: una carabasseta! Una carabasseta de beure, amb un tap de plata, que va llevar ràpidament per a beure i beure i beure bona cosa.

Immediatament, una agradable sensació de frescor la va recórrer de cap a peus. El dolor de les cremades i de les ferides va desaparéixer i la gola i els pulmons se li ompliren també d'aquella agradable sensació d'humitat. Aleshores, va veure al seu costat Chulak, sospirant de cansament i cobrint-se la cara per a no cremar-se; i també va veure Hamlet, que es feia aire amb les orelles.

Però ella estava enmig del cercle de foc, enfrontada a Razvani, i ara les flames ja no la cre-

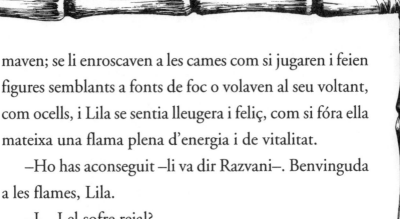

maven; se li enroscaven a les cames com si jugaren i feien figures semblants a fonts de foc o volaven al seu voltant, com ocells, i Lila se sentia lleugera i feliç, com si fóra ella mateixa una flama plena d'energia i de vitalitat.

—Ho has aconseguit —li va dir Razvani—. Benvinguda a les flames, Lila.

—I... I el sofre reial?

—Quan algú arriba al cor del foc, totes les seues il·lusions es fonen i desapareixen, no t'ho havia dit ton pare?

—Les il·lusions? No sé què vol dir...

—El sofre reial no existeix, Lila... No hi ha res de tot això!

—Aleshores, com em convertiré en pirotècnica? Jo em pensava que necessitaria el sofre reial...

—Il·lusions, Lila... I el foc crema totes les il·lusions. El mateix món és només una il·lusió... Tot allò que existeix només dura un moment, com les flames, i després s'extingeix. L'única realitat és el canvi constant. No hi ha sofre reial, és només una il·lusió... Tot, llevat del foc, és il·lusió!

—I els tres dons? No ho comprenc... Què són els tres dons, Razvani?

—Jo tampoc ho sé, però deus haver-me'ls portat —li va dir.

I aquelles foren les últimes paraules de Razvani, que va desaparéixer just en aquells moments i el llac de foc es va

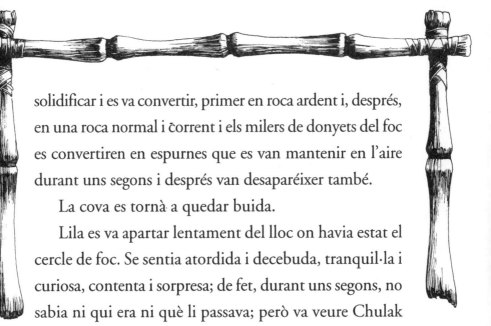

solidificar i es va convertir, primer en roca ardent i, després, en una roca normal i corrent i els milers de donyets del foc es convertiren en espurnes que es van mantenir en l'aire durant uns segons i després van desaparéixer també.

La cova es tornà a quedar buida.

Lila es va apartar lentament del lloc on havia estat el cercle de foc. Se sentia atordida i decebuda, tranquil·la i curiosa, contenta i sorpresa; de fet, durant uns segons, no sabia ni qui era ni què li passava; però va veure Chulak i va córrer a abraçar-lo.

–Chulak! M'has salvat la vida! I tu t'has fet mal?, estàs cremat i tens ferides... T'ajudaré.

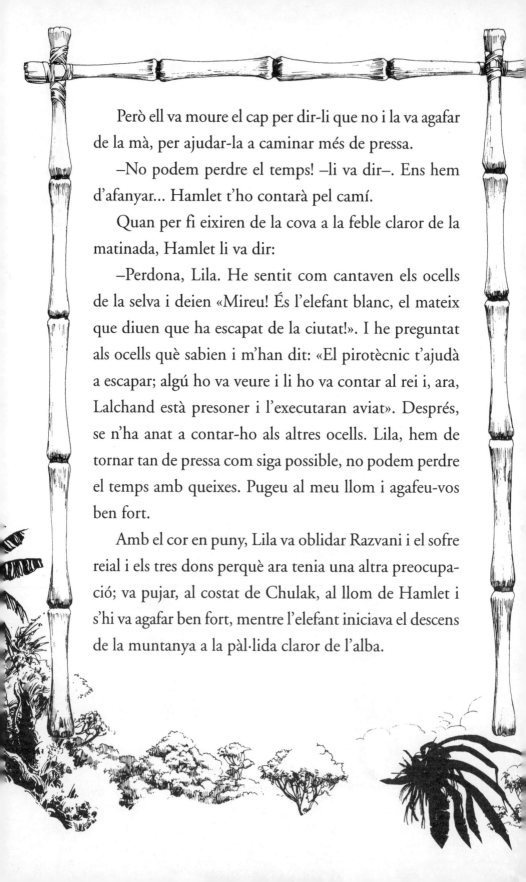

Però ell va moure el cap per dir-li que no i la va agafar de la mà, per ajudar-la a caminar més de pressa.

—No podem perdre el temps! —li va dir—. Ens hem d'afanyar... Hamlet t'ho contarà pel camí.

Quan per fi eixiren de la cova a la feble claror de la matinada, Hamlet li va dir:

—Perdona, Lila. He sentit com cantaven els ocells de la selva i deien «Mireu! És l'elefant blanc, el mateix que diuen que ha escapat de la ciutat!». I he preguntat als ocells què sabien i m'han dit: «El pirotècnic t'ajudà a escapar; algú ho va veure i li ho va contar al rei i, ara, Lalchand està presoner i l'executaran aviat». Després, se n'ha anat a contar-ho als altres ocells. Lila, hem de tornar tan de pressa com siga possible, no podem perdre el temps amb queixes. Pugeu al meu llom i agafeu-vos ben fort.

Amb el cor en puny, Lila va oblidar Razvani i el sofre reial i els tres dons perquè ara tenia una altra preocupació; va pujar, al costat de Chulak, al llom de Hamlet i s'hi va agafar ben fort, mentre l'elefant iniciava el descens de la muntanya a la pàl·lida claror de l'alba.

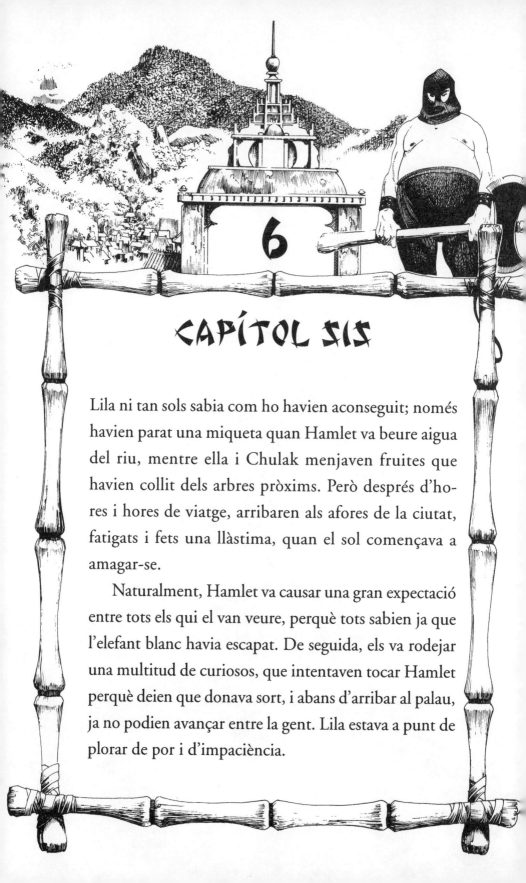

CAPÍTOL SIS

Lila ni tan sols sabia com ho havien aconseguit; només havien parat una miqueta quan Hamlet va beure aigua del riu, mentre ella i Chulak menjaven fruites que havien collit dels arbres pròxims. Però després d'hores i hores de viatge, arribaren als afores de la ciutat, fatigats i fets una llàstima, quan el sol començava a amagar-se.

Naturalment, Hamlet va causar una gran expectació entre tots els qui el van veure, perquè tots sabien ja que l'elefant blanc havia escapat. De seguida, els va rodejar una multitud de curiosos, que intentaven tocar Hamlet perquè deien que donava sort, i abans d'arribar al palau, ja no podien avançar entre la gent. Lila estava a punt de plorar de por i d'impaciència.

—Ja han executat mon pare? Sabeu si Lalchand encara està viu? —preguntava, però ningú no li sabia respondre.

—Aparteu-vos! —cridava Chulak—. Deixeu-nos passar! Obriu pas!

Però així i tot avançaven molt a poc a poc. Chulak notava que Hamlet estava posant-se nerviós i li feia por no poder controlar-lo, per això li acariciava la trompa per a tractar de calmar-lo.

Aleshores, van sentir crits i soroll d'espases en la llunyania i van veure com la gent s'apartava. La notícia ja havia arribat al palau i el rei havia enviat la seua Guàrdia Personal Especial perquè acompanyara Hamlet fins a les dependències reials.

—Ja era hora! —va dir Chulak a l'oficial que manava de la tropa—. Vinga, que tenim pressa, obriu-nos pas i aparteu-vos a un costat...

D'aquella forma, els tres viatgers, cremats, plens de ferides i molt cansats, foren acompanyats fins al palau pels soldats de la Guàrdia Personal Especial, que anaven tan ben uniformats i que es comportaven com si foren ells els qui havien trobat Hamlet. En aquells moments, el cor de Lila bategava tan de pressa com el d'un ocell atrapat en una trampa.

—Prostreu-vos! —va ordenar l'oficial de la Guàrdia Personal Especial—. Humilieu-vos! La cara contra terra... Sobretot tu, xiquet.

Es van posar de genolls damunt l'empedrat del pati i els soldats de la Guàrdia Personal Especial formaren en dues files per a presentar armes al rei.

El rei es va parar davant mateix d'ells; Lila podia veure les seues sabatilles daurades i com que estava tan nerviosa, no va poder resistir la curiositat i va aixecar el cap per a preguntar-li, molt angoixada:

—Per favor, majestat... Mon pare, Lalchand... No l'haureu...? Encara està viu?

El rei la va mirar amb cara de pocs amics.

—Serà executat demà de matí —va dir—. És el castic que mereix per la seua acció.

—No, per favor! Perdoneu-li la vida! Va ser per culpa meua, ell no té res a veure. Vaig escapar de casa sense dir-li res...

—Ja n'hi ha prou! —va dir el rei, amb una veu tan terrible que Lila va callar immediatament.

Aleshores, el rei es va dirigir a Chulak.

—I tu qui ets? —li va preguntar.

Chulak es va aixecar de seguida, però un dels soldats de la Guàrdia Personal Especial el va obligar a posar-se novament de genolls, mirant a terra.

—Jo sóc Chulak, majestat —va dir—. Puc mirar-vos? No és fàcil parlar amb un peu damunt del coll...

El rei va fer que sí amb el cap i el soldat es va apartar. Chulak es va quedar de genolls al costat de Lila, i va dir:

—Açò està millor. Veureu, majestat, jo sóc l'encarregat Personal i Especial de l'elefant blanc, per dir-ho d'alguna manera. És un animal molt delicat i si no el tracten bé, tot són problemes. Així que vaig saber que havia escapat, vaig anar a buscar-lo, majestat. He creuat el riu, nadant, he escalat muntanyes i he viatjat per la selva...

En aquells moments, va semblar que Chulak es quedava sense respiració: va callar i tornà a posar la cara contra l'empedrat. Havia notat que una cosa tova li tocava

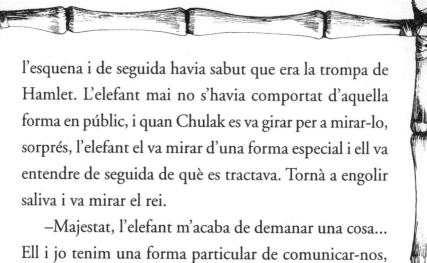

l'esquena i de seguida havia sabut que era la trompa de Hamlet. L'elefant mai no s'havia comportat d'aquella forma en públic, i quan Chulak es va girar per a mirar-lo, sorprés, l'elefant el va mirar d'una forma especial i ell va entendre de seguida de què es tractava. Tornà a engolir saliva i va mirar el rei.

–Majestat, l'elefant m'acaba de demanar una cosa... Ell i jo tenim una forma particular de comunicar-nos, ja ho sabeu... Em demana una audiència personal amb vós, majestat.

Fins i tot l'oficial de la Guàrdia Personal Especial va riure en sentir la petició: un animal que demanava audiència al rei! Però quan el rei el va mirar de molt mala manera, va fingir que tenia tos.

–Sol? –va preguntar el rei a Chulak.

–Sí, majestat.

–L'elefant blanc és un animal estrany i portentós –va dir el rei–. Per això li concediré l'audiència. Però si m'arriba a confirmar que vols enganyar-me o que tot ha estat una broma, t'assegure que demà no tindràs ganes de riure. Oficial, emporta-te'ls i deixa'm sol amb l'elefant.

Els guàrdies van traure Lila i Chulak del pati i els portaren a la cuina del palau, on l'olor de les salses i del menjar els va recordar que feia més de vint-i-quatre hores que no menjaven.

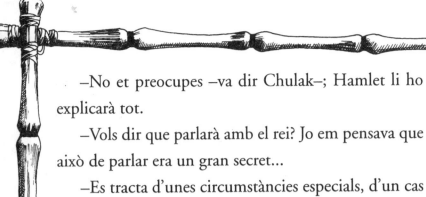

—No et preocupes —va dir Chulak—; Hamlet li ho explicarà tot.

—Vols dir que parlarà amb el rei? Jo em pensava que això de parlar era un gran secret...

—Es tracta d'unes circumstàncies especials, d'un cas molt particular... Oh, quin arròs! Quines sales! Quina oloreta de carn!

A pesar de la por que tenia, a Lila se li feia la boca aigua en sentir el seu amic perquè tenia molta fam.

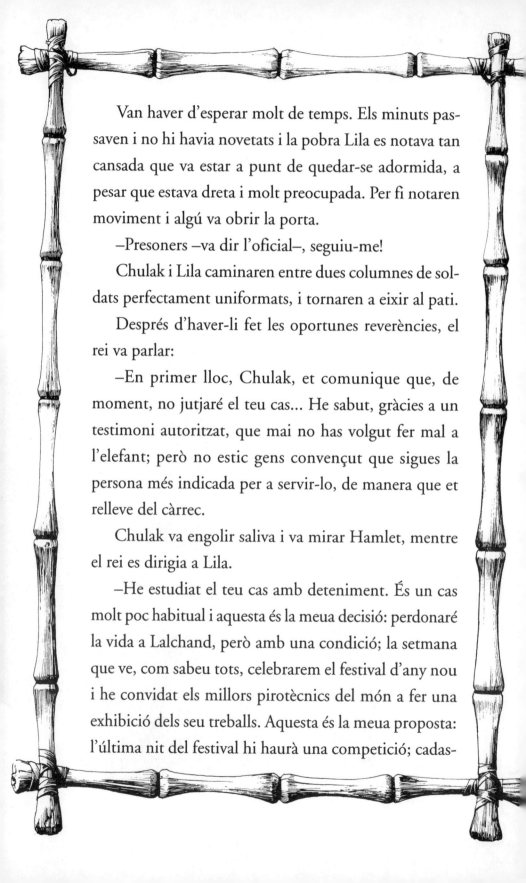

Van haver d'esperar molt de temps. Els minuts passaven i no hi havia novetats i la pobra Lila es notava tan cansada que va estar a punt de quedar-se adormida, a pesar que estava dreta i molt preocupada. Per fi notaren moviment i algú va obrir la porta.

–Presoners –va dir l'oficial–, seguiu-me!

Chulak i Lila caminaren entre dues columnes de soldats perfectament uniformats, i tornaren a eixir al pati.

Després d'haver-li fet les oportunes reverències, el rei va parlar:

–En primer lloc, Chulak, et comunique que, de moment, no jutjaré el teu cas... He sabut, gràcies a un testimoni autoritzat, que mai no has volgut fer mal a l'elefant; però no estic gens convençut que sigues la persona més indicada per a servir-lo, de manera que et rellevе del càrrec.

Chulak va engolir saliva i va mirar Hamlet, mentre el rei es dirigia a Lila.

–He estudiat el teu cas amb deteniment. És un cas molt poc habitual i aquesta és la meua decisió: perdonaré la vida a Lalchand, però amb una condició; la setmana que ve, com sabeu tots, celebrarem el festival d'any nou i he convidat els millors pirotècnics del món a fer una exhibició dels seu treballs. Aquesta és la meua proposta: l'última nit del festival hi haurà una competició; cadas-

cun dels meus convidats disparará un castell de focs d'artifici i Lalchand i Lila també participaran en el concurs. El premi será una copa d'or, que rebrà el pirotècnic més aplaudit pels espectadors; els altres competidors només sabran això, però tu i Lalchand heu de saber una cosa més: si guanyeu la competició, Lalchand rebrà el premi i salvarà la seua vida; però si perd, perdrà la vida també. Aquesta és la meua decisió i no hi ha recurs que valga. Tens una setmana per a salvar la vida del teu pare, Lila... Guàrdies, emporteu-vos-els, allibereu el pirotècnic Lalchand i deixeu-lo marxar amb la seua filla.

I, sense temps ni tan sols per a pensar en les paraules del rei, Lila es va veure fora del palau, al costat d'una porteta, on un soldat amb una torxa l'acompanyava mentre esperava. Però no va esperar gaire perquè, poc de temps després, es van

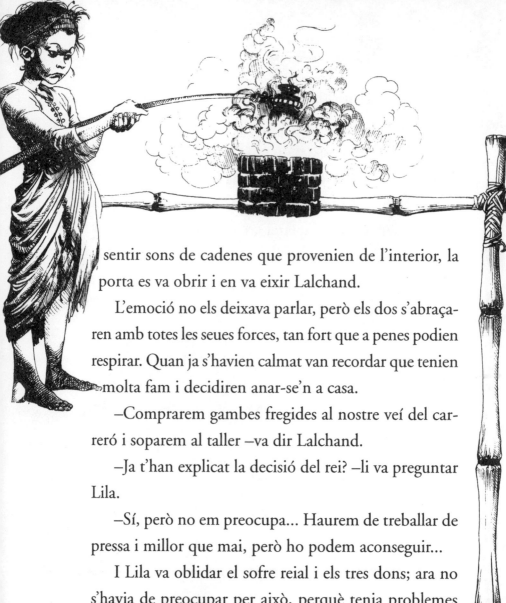

sentir sons de cadenes que provenien de l'interior, la porta es va obrir i en va eixir Lalchand.

L'emoció no els deixava parlar, però els dos s'abraçaren amb totes les seues forces, tan fort que a penes podien respirar. Quan ja s'havien calmat van recordar que tenien molta fam i decidiren anar-se'n a casa.

–Comprarem gambes fregides al nostre veí del carreró i soparem al taller –va dir Lalchand.

–Ja t'han explicat la decisió del rei? –li va preguntar Lila.

–Sí, però no em preocupa... Haurem de treballar de pressa i millor que mai, però ho podem aconseguir...

I Lila va oblidar el sofre reial i els tres dons; ara no s'havia de preocupar per això, perquè tenia problemes més greus. Entraren al taller amb uns plats de gambes fregides, arròs i verdures i menjaren amb la ment ocupada ja en el treball que els esperava.

–Pare –va dir Lila–. He tingut una idea. Suposem que...

I, sense acabar de parlar, va agafar un carbonet i es posà a fer uns dibuixos. Els ulls de Lalchand s'il·luminaren d'alegria.

—Sí, d'acord! Però no tingues pressa, hem de perfeccionar la idea...

—I quan tornàvem de les muntanyes Merapi –va dir– i ens paràrem al costat del riu, vaig veure unes plantes que s'enrotllaven les unes amb les altres i se'm va acudir una forma de retardar les explosions, de manera que els coets no exploten tots alhora, sinó al ritme que els marquem...

—Impossible!

—No, és possible... Mira, t'ho ensenyaré.

I continuaren treballant.

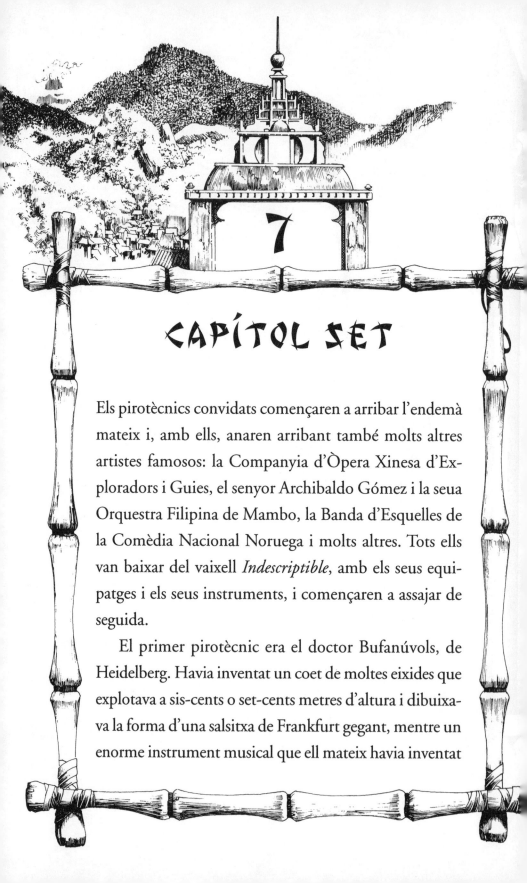

CAPÍTOL SET

Els pirotècnics convidats començaren a arribar l'endemà mateix i, amb ells, anaren arribant també molts altres artistes famosos: la Companyia d'Òpera Xinesa d'Exploradors i Guies, el senyor Archibaldo Gómez i la seua Orquestra Filipina de Mambo, la Banda d'Esquelles de la Comèdia Nacional Noruega i molts altres. Tots ells van baixar del vaixell *Indescriptible*, amb els seus equipatges i els seus instruments, i començaren a assajar de seguida.

El primer pirotècnic era el doctor Bufanúvols, de Heidelberg. Havia inventat un coet de moltes eixides que explotava a sis-cents o set-cents metres d'altura i dibuixava la forma d'una salsitxa de Frankfurt gegant, mentre un enorme instrument musical que ell mateix havia inventat

tocava la *Cavalcada de les valquíries*. El doctor Bufanúvols
havia treballat molt per a preparar un castell de focs tan
espectacular per a la nit del festival i ara supervisava la
descàrrega dels seus equips amb molta atenció.

El segon pirotècnic convidat era el senyor Scorcini,
de Nàpols. La seua família es dedicava a la fabricació
d'explosius des de feia moltes generacions i la seua espe-
cialitat era el soroll. Per al festival, havien preparat una

representació, a escala
natural, d'una batalla
naval en el transcurs
de la qual se sentirien
els sorolls més forts del
món i una aparició del
rei Neptú que emergiria de les aigües per a
declarar la pau entre
els contrincants.

El tercer, i últim dels pirotècnics convidats, era el
coronel Sam Sparkington, de Chicago. El seu treball es
titulava *El millor espectacle de focs d'artifici de la galàxia*
i solia protagonitzar-lo el mateix coronel, a cavall i amb
un barret d'ala ampla. Ara corria el rumor que havia
inventat una atracció fantàstica, una actuació que mai
no s'havia vist abans en el món de la pirotècnica.

I mentre els tres pirotècnics convidats preparaven
els seus espectacles, Lila i Lalchand treballaven en el
seu. El temps els havia passat volant; a penes dormien,
es rentaven només una miqueta i ni tan sols menjaven.
Havien preparat enormes quantitats de serps daurades,
havien demanat una tona i mitja de flors de sal i havien
inventat una cosa tan nova que ni tan sols sabien quin
nom posar-li, fins que un dia, Lila va dir:

—Bromera... —i no li eixia res més.

—De molsa? —va preguntar Lalchand.

—Exacte!

Lila va explicar al seu pare el mecanisme per a retardar l'explosió dels coets, però no va funcionar bé fins que Lalchand va pensar a afegir-li una miqueta d'alcohol de salnitre; aleshores, va funcionar perfectament. Això els permetria disparar cinquanta o cent coets al mateix temps, cosa que, abans, resultava impossible. Després, Lalchand va inventar una traca final espectacular, però necessitaven fer una cosa encara més difícil, que era encendre una metxa dins l'aigua. Però Lila ho va resoldre amb una miqueta de nafta càustica i quan ho van provar, funcionà perfectament.

I, entre unes coses i les altres, va arribar la nit del festival.

—M'agradaria saber per on balla Chulak —va dir Lila, però en realitat només pensava en la bromera de molsa.

—Espere que estiguen tractant bé Hamlet —va dir Lalchand; però en realitat només pensava en la nafta càustica.

I encara que cap dels dos no deia res sobre la decisió del rei, no se la podien llevar del cap.

Després d'haver dormit unes poques hores i d'haver-se desdejunat de pressa, van carregar el carro del ve-

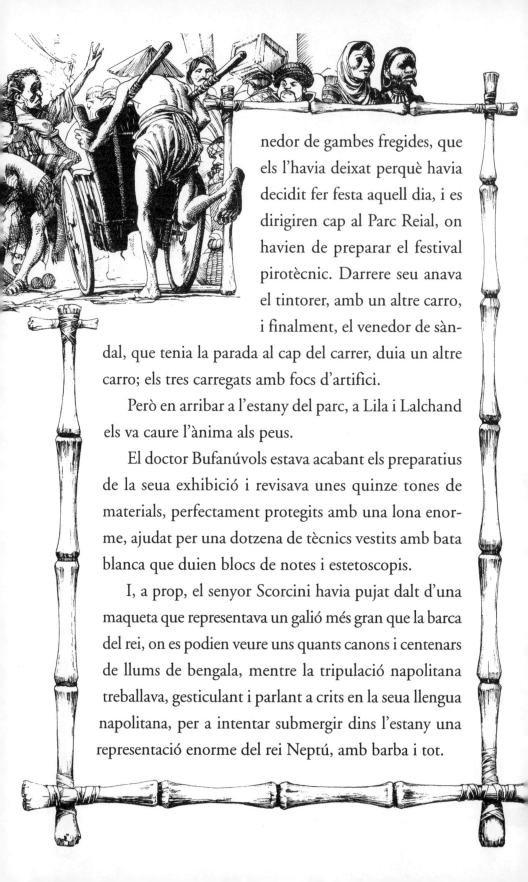

nedor de gambes fregides, que els l'havia deixat perquè havia decidit fer festa aquell dia, i es dirigiren cap al Parc Reial, on havien de preparar el festival pirotècnic. Darrere seu anava el tintorer, amb un altre carro, i finalment, el venedor de sàndal, que tenia la parada al cap del carrer, duia un altre carro; els tres carregats amb focs d'artifici.

Però en arribar a l'estany del parc, a Lila i Lalchand els va caure l'ànima als peus.

El doctor Bufanúvols estava acabant els preparatius de la seua exhibició i revisava unes quinze tones de materials, perfectament protegits amb una lona enorme, ajudat per una dotzena de tècnics vestits amb bata blanca que duien blocs de notes i estetoscopis.

I, a prop, el senyor Scorcini havia pujat dalt d'una maqueta que representava un galió més gran que la barca del rei, on es podien veure uns quants canons i centenars de llums de bengala, mentre la tripulació napolitana treballava, gesticulant i parlant a crits en la seua llengua napolitana, per a intentar submergir dins l'estany una representació enorme del rei Neptú, amb barba i tot.

I al seu costat, el coronel Sparkington assajava la seua actuació. Hi havia un coet enorme, roig, blanc i blau, provist amb un sella de muntar i, sobre una plataforma que s'enlairava molt per sobre dels arbres més alts del parc, hi havia una maqueta de la lluna, amb uns cràters que els seus ajudants estaven omplint de coses raríssimes.

Allò ja era massa. Lalchand i Lila miraven tots aquells artefactes colossals que estaven preparant els altres pirotècnics i, en comparar-los amb els seus tres carros se sentien impotents i fracassats.

—No passa res —va dir Lalchand—. El nostre castell estarà molt bé, filla. Pensa que ells no tenen res comparable a la bromera de molsa...

—Ni a la traca submarina —va afegir Lila—. Mira, hauran d'encendre a mà aquell déu del mar. Nosaltres ho farem molt millor, pare.

—Pots estar ben segura... Posem-nos a treballar.

Van descarregar els materials i el tintorer i el venedor de fusta de sàndal van recollir els seus carros i se n'anaren, amb la promesa que entrarien gratis a veure l'espectacle.

El dia va passar molt de pressa. Tots els pirotècnics observaven amb curiositat els preparatius dels altres i intentaven descobrir alguna novetat, amb l'excusa

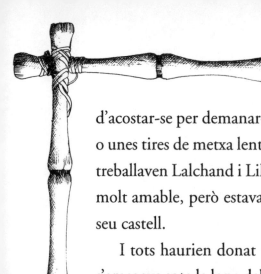

d'acostar-se per demanar-los una grapat de pólvora roja o unes tires de metxa lenta. Quan arribaren a la zona on treballaven Lalchand i Lila es comportaren d'una forma molt amable, però estava clar que no els preocupava el seu castell.

I tots haurien donat un dit de la mà per saber què s'amagava sota la lona del doctor Bufanúvols, però ell la mantenia ben lligada.

Aproximadament a les set de la vesprada el sol va començar a amagar-se i deu minuts després ja era de nit. La gent començava a arribar al parc, amb estores per a seure a terra i amb cistelles amb el berenar; i, des del palau pròxim, els arribava el so de les campanes, els gongs i els tambors. Tots els pirotècnics s'afanyaven a fer els últims retocs a les seues obres i, després, es van desitjar sort els uns als altres.

Aleshores, se sentiren uns tambors i les portes del palau es van obrir de bat a bat. A la llum de centenars de torxes, una llarga processó es va dirigir des del palau a la tribuna instal·lada enfront de l'estany. El rei es desplaçava amb un palanquí daurat i, al seu voltant, evolucionaven les ballarines reials, elegants i precioses. Al seu darrere, cobert amb teles daurades i carregat de joies, amb els ullals i les ungles dels peus pintats de color roig, anava Hamlet.

—Oh, mira el pobre animalet –va dir Lila–. Quina cara més trista que fa... Jo diria que ha perdut pes i tot.

—Troba a faltar Chulak –va dir Lalchand–. De segur que és això.

Mentre el rei declarava oberta la competició, Hamlet s'estava al seu costat, trist i compungit.

—El guanyador s'emportarà una copa d'or i mil monedes, també d'or –va anunciar el rei–. I només els vostres aplaudiments decidiran qui és el vencedor. El primer concursant pot començar el seu castell de focs...

Els pirotècnics havien sortejat l'ordre d'actuació i el doctor Bufanúvols va ser el primer. Naturalment, la gent no sabia en què consistia l'espectacle i quan els coets potentíssims s'enlairaren en la foscor de la nit i l'enorme *orguetamborbarda* va començar a tocar la *Cavalcada de les valquíries* mentre escampava en la foscor enormes quantitats de lava teutònica, tots els presents deixaren

escapar ooohs i aaahs d'admiració. A continuació venia el plat fort del castell. En la foscor de la nit s'enlairà un homenatge al plat preferit del rei: una enorme gamba rosa que va començar a fer voltes sobre ella mateixa, cada vegada més de pressa, fins que es va desintegrar en una pluja d'espurnes de color salmó, mentre l'*orguetambor-barda* tocava un últim i potentíssim acord.

L'ovació va ser enorme.

—Ha estat bé —va dir Lila, nerviosa—. La gamba era gran, però gran! I de color rosa...

—Una miqueta massa vulgar —va dir Lalchand—. No et preocupes. Ara que, el color rosa era preciós; li haurem de demanar la fórmula.

El següent era el senyor Scorcini i els seus pirotècnics napolitans. Uns potents coets ro-jos, verds i blancs s'enlairaren en la foscor i explotaren fent un soroll de mil dimonis que es va sentir a tota la ciutat; des-prés, el galió es va il·luminar amb centenars de coets que tiraven es-purnes i amb rodes de foc que gira-ven i els rems de la nau començaren a moure's avant i arrere gràcies a un curiós mecanisme fet amb lluernes romanes. De sobte, un polp enorme va eixir de l'aigua i va atacar la nau amb els seus tentacles mòbils. Els mariners li dispararen focs de totes les classes imaginables i es defensaren fent caure sobre l'artefacte una pluja d'espurnes que eixien d'uns barrils que hi havia als costats del galió. El soroll era indescriptible i, just quan la nau estava a punt d'enfonsar-se, aparegué el rei Neptú, armat amb el seu trident i acompanyat de tres sirenes. L'orquestra va començar a tocar i les sirenes entonaren una cançó europea molt popular, mentre el polp gegant movia els tentacles al compàs de la música i, des de la nau, es disparaven més coets que explotaven també al ritme de la música.

El públic estava encantat amb l'espectacle i va deixar escapar un clam de plaer en acabar-se.

—Mare meua! —va dir Lalchand—. Això era fantàstic... No ho superarem.

—Però no has vist com han hagut d'encendre el déu marí? —va dir Lila—. Han esperat que eixira del tot de l'aigua i un homenet que anava en una barca s'ha acostat i l'ha encés. Ja veuràs quan nosaltres els mostrem el nostre foc submarí!

Quan els aplaudiments s'acabaren, el coronel Sparkington va emprendre la seua exhibició. Per començar, uns focs semblants als ovnis van eixir de la foscor i,

després de
recórrer el cel, aterraren en
l'herba del parc. Això va arran-
car molts aplaudiments al pú-
blic perquè, en general, els focs
van de la terra cap al cel i no
a l'inrevés. Després aparegué la
famosa lluna, més alta que els arbres
del parc, i el coronel Sparkington va entrar en
escena muntat en un cavall blanc fet de ben-
gales i rodes de foc, saludant el públic amb el
seu barret d'ala ampla i la gent estava tan feliç
que només feia que cridar i victorejar-lo.

Lila va observar que, al costat del rei, hi
havia un funcionari que cronometrava la dura-
da dels aplaudiments i va engolir saliva.

En aquells moments, l'exhibició del co-
ronel Sparkington arribava al punt àlgid.
Després d'haver apagat les rodes que havien
baixat del cel amb les potes del seu cavall de foc,
l'elegant coronel va muntar el coet roig, blanc i
blau. Un cap indi, muntat en un poni, va disparar
una fletxa encesa a la part posterior del coet i, de
seguida, l'artefacte es va encendre i, subjectat amb
un cable, va eixir disparat cap a la lluna, mentre el

coronel continuava saludant el públic amb el seu barret.

Així que va arribar a la lluna, una dotzena de cràters s'hi van obrir i, de cada forat, va eixir un selenita menudet, amb la cara redona, els ulls molt grans i les orelles en punta.

El públic estava entregat. Els selenites portaven banderes de tots els països del món i s'inclinaren per saludar el rei; el coronel va repartir coets entre els selenites i ells els disparaven mentre cantaven una cançó dedicada al coronel. Els aplaudiments, els crits i els xiulets d'entusiasme es podien sentir a uns quants quilòmetres de distància.

Lila i Lalchand es van mirar als ulls. No hi havia res a dir. Però de seguida es van abraçar ben fort i es dirigiren als seus llocs perquè, així que els aplaudiments cessaren, havien de començar la seua exhibició.

La primera cosa que va passar va ser que unes floretes de lotus fetes de foc blanc van aparéixer en la superfície de l'estany, sense que ningú sabera d'on venien ni com les havien enceses. Els rumors que corrien entre el públic s'apagaren i quan les flors blanques començaren a navegar per damunt l'aigua, com si foren barquets de paper, ni tan sols se sentia la respiració de la gent.

Després, una llum verda preciosa va començar a eixir de l'aigua i va créixer a poc a poc fins que es va convertir en una font de foc verd. Però no semblava foc en absolut, perquè es movia com l'aigua i esguitava i tot, com les fonts de veritat.

I mentre la font brollava de l'estany, una altra cosa, molt diferent, havia començat a passar sota els arbres. Una estora de molsa que semblava viva havia començat a escampar-se per damunt l'herba; eren milions i milions de puntets de llum, tan units els uns als altres que semblaven formar una catifa de vellut. El públic va deixar escapar un sospir llarg i profund.

Ara venia la part més difícil: Lila havia imaginat un espectacle de foc semblant al que havia vist en la cova del Dimoni del Foc, però tot depenia del bon funcionament de les metxes retardades i la veritat és que no havien tingut temps de provar-les. Si algun dels coets explotava uns segons abans o uns segons després del moment previst, l'espectacle sencer deixaria de tenir sentit.

Però ara no s'havien de preocupar per aquells detalls. De pressa i amb habilitat professional, Lila i Lalchand van encendre les metxes principals i esperaren, amb el cor en un puny.

Primer es van sentir unes explosions somortes, com el so d'un tambor llunyà. Tot era fosc. Aleshores, va co-

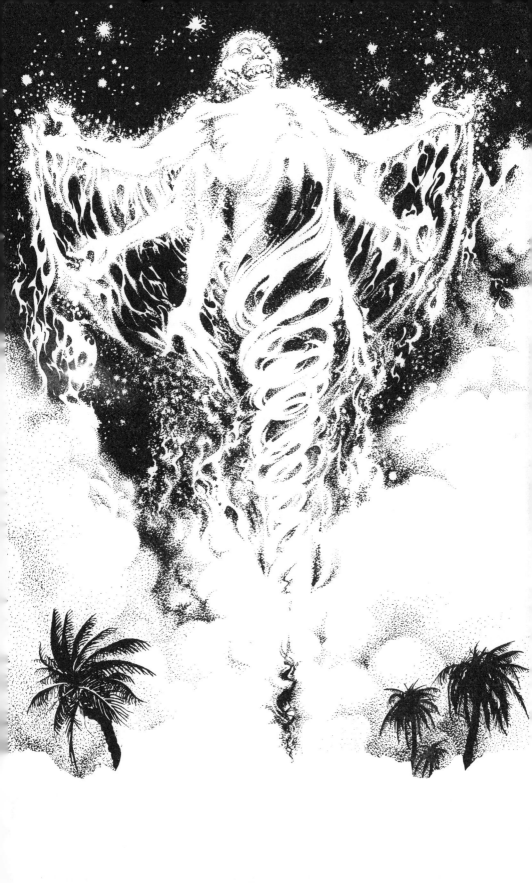

mençar a baixar del cel una llum roja que deixava al seu darrere un rastre d'espurnes, com si obrira una escletxa en la foscor de la nit. Els tambors llunyans se sentien més i més fort cada vegada i tots els presents aguantaven la respiració perquè la sensació que estava a punt de passar alguna cosa extraordinària era molt intensa.

I sí que va passar, sí. De l'escletxa roja que partia la nit en va eixir una cascada de lava roja, taronja i groga que es va escampar per l'herba com si fóra la lava de veritat que va cobrir el sòl de la cova. Lila no va poder resistir la temptació d'observar els seus rivals, el doctor Bufanúvols, el senyor Scorcini i el coronel Sparkington, i va veure que els tres contemplaven l'espectacle amb la boca oberta, com si foren xiquets.

Quan l'estora de lava estava a punt d'arribar a la vora de l'estany, el ritme dels tambors va augmentar i encara se sentiren unes quantes explosions més fortes. I de sobte, ballant com havia aparegut a la cova, el mateix Razvani va semblar eixir de la foscor, fent contorsions i agitant-se i cantant d'alegria pel foc etern.

Lalchand i Lila oblidaren totes les seues preocupacions i es posaren també a ballar, agafats per les mans. Mai

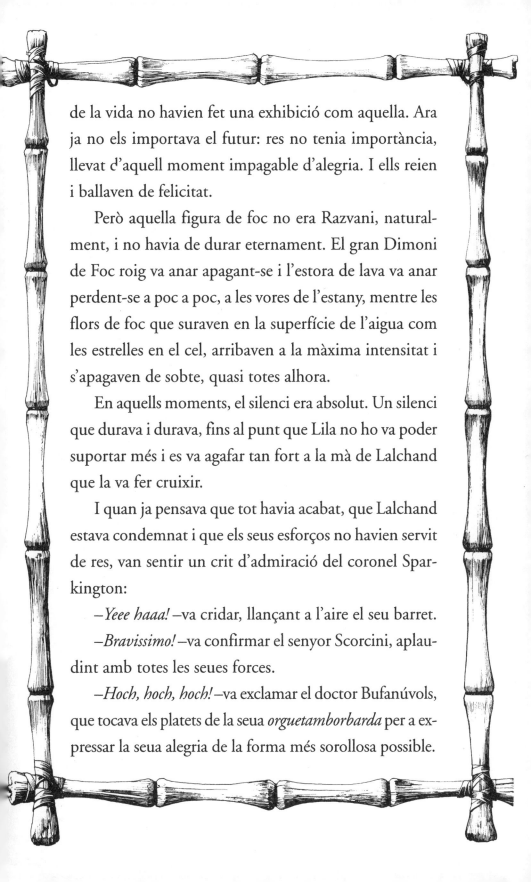

de la vida no havien fet una exhibició com aquella. Ara ja no els importava el futur: res no tenia importància, llevat d'aquell moment impagable d'alegria. I ells reien i ballaven de felicitat.

Però aquella figura de foc no era Razvani, naturalment, i no havia de durar eternament. El gran Dimoni de Foc roig va anar apagant-se i l'estora de lava va anar perdent-se a poc a poc, a les vores de l'estany, mentre les flors de foc que suraven en la superfície de l'aigua com les estrelles en el cel, arribaven a la màxima intensitat i s'apagaven de sobte, quasi totes alhora.

En aquells moments, el silenci era absolut. Un silenci que durava i durava, fins al punt que Lila no ho va poder suportar més i es va agafar tan fort a la mà de Lalchand que la va fer cruixir.

I quan ja pensava que tot havia acabat, que Lalchand estava condemnat i que els seus esforços no havien servit de res, van sentir un crit d'admiració del coronel Sparkington:

—*Yeee haaa!* —va cridar, llançant a l'aire el seu barret.

—*Bravissimo!* —va confirmar el senyor Scorcini, aplaudint amb totes les seues forces.

—*Hoch, hoch, hoch!* —va exclamar el doctor Bufanúvols, que tocava els platets de la seua *orguetamborbarda* per a expressar la seua alegria de la forma més sorollosa possible.

El públic, que no volia ser menys agraït que els pirotècnics forasters, es va unir a ells amb crits i aplaudiments, tots es pegaven colpets a l'esquena, xiulaven i cridaven i tornaven a aplaudir, de manera que quatre-cents trenta-vuit coloms que dormien en un arbre situat a quinze quilòmetres de distància, es van despertar preguntant-se què passava.

En aquells moments, el funcionari que cronometrava els aplaudiments ho va deixar estar: queia pel seu pes que Lalchand i Lila havien guanyat el concurs; i van ser cridats a la plataforma on els esperava el rei per a donar-los el premi.

–Mantindré la meua paraula –va dir el rei, serenament–. Lalchand, quedes en llibertat. Ací teniu el premi, que el gaudiu i aneu a divertir-vos a la fira!

Desconcertats encara per totes les coses que havien passat, Lila i Lalchand tornaren a la foscor de la zona des d'on havien disparat els coets. I tant ell com ella haurien volgut dir alguna cosa però no els eixien les paraules. Aleshores,

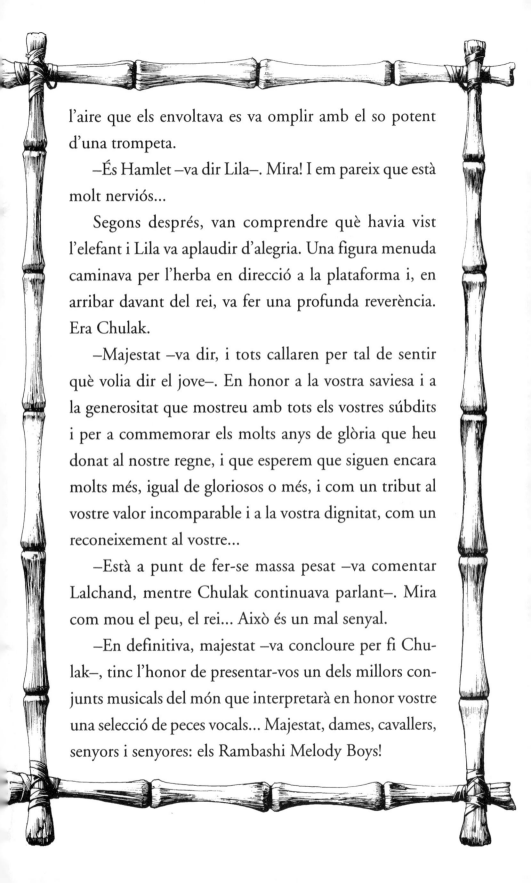

l'aire que els envoltava es va omplir amb el so potent d'una trompeta.

–És Hamlet –va dir Lila–. Mira! I em pareix que està molt nerviós...

Segons després, van comprendre què havia vist l'elefant i Lila va aplaudir d'alegria. Una figura menuda caminava per l'herba en direcció a la plataforma i, en arribar davant del rei, va fer una profunda reverència. Era Chulak.

–Majestat –va dir, i tots callaren per tal de sentir què volia dir el jove–. En honor a la vostra saviesa i a la generositat que mostreu amb tots els vostres súbdits i per a commemorar els molts anys de glòria que heu donat al nostre regne, i que esperem que siguen encara molts més, igual de gloriosos o més, i com un tribut al vostre valor incomparable i a la vostra dignitat, com un reconeixement al vostre...

–Està a punt de fer-se massa pesat –va comentar Lalchand, mentre Chulak continuava parlant–. Mira com mou el peu, el rei... Això és un mal senyal.

–En definitiva, majestat –va concloure per fi Chulak–, tinc l'honor de presentar-vos un dels millors conjunts musicals del món que interpretarà en honor vostre una selecció de peces vocals... Majestat, dames, cavallers, senyors i senyores: els Rambashi Melody Boys!

–No m'ho puc creure –va dir Lila.

Però era veritat. Eren els antics pirates de Rambashi, vestits amb unes jaquetes roges i faldes dauades. Rambashi en persona va fer una profunda reverència al rei i es va disposar a iniciar l'actuació; però, abans de començar, algú el va interrompre.

Una de les ballarines que havien acompanyat el rei des del palau va cridar de sobte:

–Chang!

I un dels cantants del cor de Rambashi va obrir els braços i va respondre:

–Flor de Lotus!

–Què ha dit? –va preguntar Lalchand–. Flor de Cactus?

Els dos joves van córrer a abraçar-se amb els braços oberts però, en veure que tots els observaven, es pararen de sobte.

–Vinga –va dir el rei–. Val més que us abraceu...

Aleshores, els joves es van besar tímidament i tots els aplaudiren.

–I ara m'agradaria que m'explicares què passa, per favor –va demanar el rei.

–Jo era un pobre fuster, majestat –va dir Chang–, i vaig pensar que havia d'anar-me'n pel món a fer fortuna, abans de demanar la mà de Flor de Lotus. Me'n vaig anar i, ara que he fet fortuna, he tornat, majestat.

–Bé –va dir el rei–; si heu vingut a cantar, serà millor que canteu...

Chang va córrer a ocupar el seu lloc entre els Melody Boys. Rambashi els va donar l'entrada i tots començaren a cantar una bella melodia antiga, titulada *A la vora de l'Irrawadi*.

–Canten molt bé, veritat? –va preguntar Lalchand.

–Estic fascinada! –va dir Lila–. Després de totes les dificultats que han tingut per a trobar el seu ofici... Qui ho havia de dir...

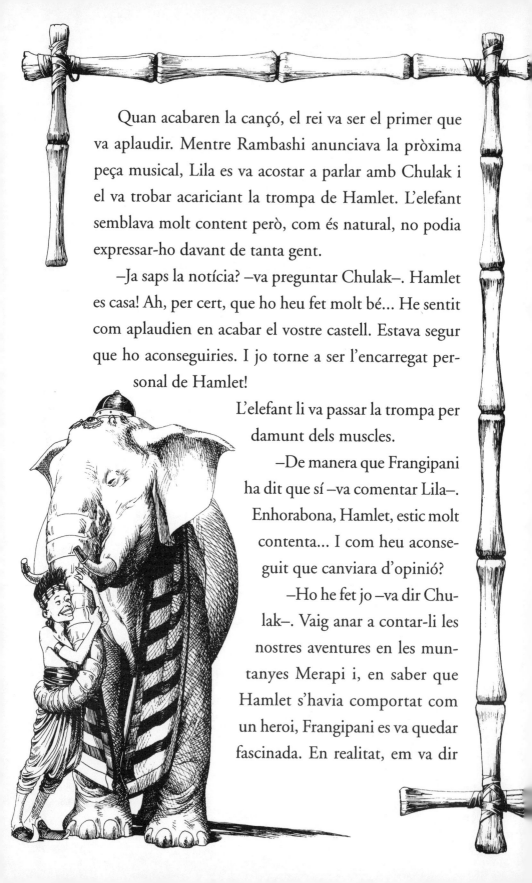

Quan acabaren la cançó, el rei va ser el primer que va aplaudir. Mentre Rambashi anunciava la pròxima peça musical, Lila es va acostar a parlar amb Chulak i el va trobar acariciant la trompa de Hamlet. L'elefant semblava molt content però, com és natural, no podia expressar-ho davant de tanta gent.

–Ja saps la notícia? –va preguntar Chulak–. Hamlet es casa! Ah, per cert, que ho heu fet molt bé... He sentit com aplaudien en acabar el vostre castell. Estava segur que ho aconseguiries. I jo torne a ser l'encarregat personal de Hamlet!

L'elefant li va passar la trompa per damunt dels muscles.

–De manera que Frangipani ha dit que sí –va comentar Lila–. Enhorabona, Hamlet, estic molt contenta... I com heu aconseguit que canviara d'opinió?

–Ho he fet jo –va dir Chulak–. Vaig anar a contar-li les nostres aventures en les muntanyes Merapi i, en saber que Hamlet s'havia comportat com un heroi, Frangipani es va quedar fascinada. En realitat, em va dir

que li havia agradat sempre, però no gosava dir-li-ho...
Què t'ha paregut l'oncle Rambashi? Genial, no?

El públic aplaudia amb passió cada vegada que Rambashi anunciava la pròxima cançó. Quan els Melody Boys interpretaven, a bon ritme, el *Vals de la selva*, Lila va tornar al costat de Lalchand, que estava enraonant amigablement amb els altres pirotècnics. En veure-la, tots s'aixecaren educadament i la convidaren a seure amb ells.

—Estàvem felicitant el seu pare per tan magnífica exhibició —va comentar el coronel Sparkington— i la meitat del mèrit és seu, senyoreta. Aquell joc amb les flors que semblaven vaixells i que s'han apagat totes alhora... És fantàstic. Com ho heu aconseguit?

I Lila els va explicar com fabricaven les metxes retardades perquè entre els artistes no hi ha secrets. I el doctor Bufanúvols els va explicar com feia el foc de color rosa; el senyor Scorcini els va explicar com feia moure els tentacles del polp i tots van passar unes hores molt agradables i es feren molt amics.

Quan ja era molt tard i tots estaven molt cansats i fins i tot els Melody Boys de Rambashi havien acabat tot el seu repertori, Lila i Lalchand es van quedar sols al parc, gitats damunt l'herba i sota les estrelles càlides. Aleshores, Lalchand va mirar la seua filla i, després d'aclarir-se la veu, li va dir:

–Lila, filla meua, t'he de demanar disculpes...

–Per què?

–Tu ja ho saps... Hauria d'haver confiat en tu; t'he criat com la filla d'un pirotècnic i no m'hauria d'haver estranyat que tu mateixa volgueres fer-te pirotècnica... Al cap i a la fi tens els tres dons.

–Ah, sí, els tres dons... Razvani em va preguntar si els tenia i no vaig saber què dir-li; però després em va dir que els havia portat amb mi. I, amb tota la pressa per tornar a casa, preparar l'exhibició i veure si encara et podíem salvar la vida, se'm va oblidar per complet. De fet, encara no sé què són els tres dons.

–Bé, filla meua, no passa res... Vas veure els fantasmes? –li va preguntar Lalchand.

–Sí, els vaig veure. No havien portat els tres dons i fracassaren... Però, què són els tres dons?

–Són els dons que necessita qualsevol artista pirotècnic. Els tres són igualment importants i cap d'ells no serveix de res sense els altres dos. El primer és el talent, i tu en tens de sobra, filla. El segon té diversos noms: valor, determinació, força de voluntat... És la força que et va ajudar a escalar la muntanya, a pesar que ja no tenies esperances.

Lila es va quedar callada uns segons; després va preguntar:

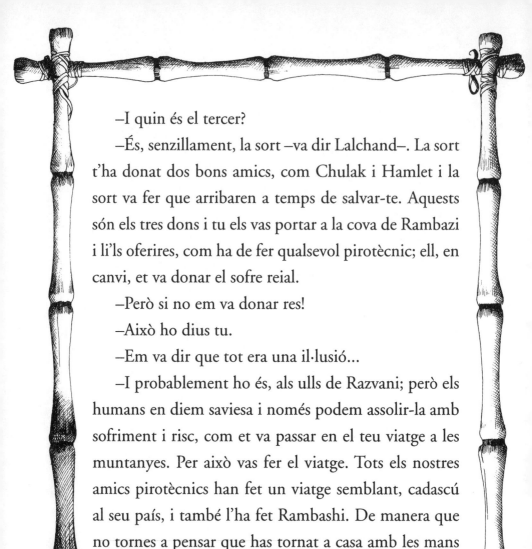

—I quin és el tercer?

—És, senzillament, la sort —va dir Lalchand—. La sort t'ha donat dos bons amics, com Chulak i Hamlet i la sort va fer que arribaren a temps de salvar-te. Aquests són els tres dons i tu els vas portar a la cova de Rambazi i li'ls oferires, com ha de fer qualsevol pirotècnic; ell, en canvi, et va donar el sofre reial.

—Però si no em va donar res!

—Això ho dius tu.

—Em va dir que tot era una il·lusió...

—I probablement ho és, als ulls de Razvani; però els humans en diem saviesa i només podem assolir-la amb sofriment i risc, com et va passar en el teu viatge a les muntanyes. Per això vas fer el viatge. Tots els nostres amics pirotècnics han fet un viatge semblant, cadascú al seu país, i també l'ha fet Rambashi. De manera que no tornes a pensar que has tornat a casa amb les mans buides: has portat amb tu el sofre reial.

Lila va recordar Hamlet i Frangipani, que ara eren un matrimoni feliç. Va pensar en Chulak, que havia recuperat el seu treball i en Chang i Flor de Lotus, que tornaven a estar junts. Va pensar en Rambashi i els Melody Boys que, en aquells moments, dormien com suros en les habitacions de l'Hotel Intercontinental i somiaven els seus futurs èxits en el món de l'espectacle. I va recordar els altres artistes pirotècnics i amb quina amabilitat l'havien acollida entre ells.

I aleshores va comprendre totes les coses que havia après. Va comprendre de sobte que al doctor Bufanúvols li encantava el seu foc rosa, que el senyor Scorcini estimava el seu polp i el coronel Sparkington estava enamorat dels graciosos habitants de la lluna. Per a fer uns bons focs d'artifici els havies d'estimar, des del primer coet fins a l'última carcassa. Això era. Has de posar amor en el treball, a més de totes les altres habilitats.

I el foc rosa del doctor Bufanúvols era realment impressionant... Si el combinava amb una miqueta de suc de llàgrimes i un pessiguet d'aquella pólvora de doble efecte que encara no sabien per a què servia, probablement podrien...

Lila va riure i va mirar el seu pare.

—Ara ho veig clar! —va dir.

I així va ser com Lila es va convertir en una autèntica artista pirotècnica.

Esfera

Una història èpica, trepidant i amb una bona dosi d'humor i suspens. Vols salvar el Regne de l'amenaça dels Elfs de la Nit?

La família Casson és un caos: sempre estan ficats en embolics. Una sèrie entranyable i divertidíssima.

La col·lecció «Esfera» t'acosta, en la nostra llengua, els llibres infantils i juvenils d'èxit internacional.

Terror i aventura de la mà d'un dels millors escriptors del moment: Philip Pullman.

Fantasia, acció i un adolescent gens comú: Artemis Fowl.

La col·lecció «Esfera» et convida a viatjar a una nova dimensió per a descobrir altres mons en els quals la lectura és sempre una activitat lúdica, entretinguda, divertida i apassionant.

Visita'ns a:
www.bromera.com/esfera